CW00543262

CUISINE DE NOS

RÉGIONS

1001
RECETTES

SOLAR
EDITIONS

ENTRÉES

ACRAS DE MORUE

Préparation : 1 h • Trempage : 12 h • Cuisson : 25 min • Pour 4 personnes

*400 g de morue • 200 g de farine • ½ sachet de levure • 2 c. à s. d'huile
• 1 feuille de laurier • 1 brin de thym • 1 citron • 3 gousses d'ail • 1 petit
piment rouge • 1 bouquet de persil • 4 tiges de ciboules • 1 blanc d'œuf
• huile de friture • sel et poivre*

● Faites tremper la morue dans de l'eau froide pendant 12 h, peau
dessus, en renouvelant l'eau plusieurs fois.

● Environ 1 h avant le service, mélangez la farine tamisée avec la levure
dans une terrine en ajoutant l'huile, 1 pincée de sel et juste assez
d'eau pour obtenir une pâte fluide. Réservez.

● Égouttez la morue et faites-la pocher à l'eau frémissante pendant
15 min avec le laurier et le thym.

● Égouttez-la, puis effeuillez-la en retirant la peau et les arêtes. Passez
rapidement la chair de la morue au mixeur en ajoutant le jus
du citron et un peu de poivre.

● Pelez l'ail. Ajoutez l'ail, le piment et le persil, le tout haché fin,
ainsi que les ciboules finement émincées.

● Incorporez enfin la pâte, puis le blanc d'œuf battu en neige ferme.

● Faites chauffer l'huile dans une grande bassine, prélevez des
boulettes à la cuillère et faites-les tomber dans l'huile bouillante.

● Laissez-les gonfler jusqu'à ce qu'elles soient bien dorées et servez-les
très chaudes.

ALIGOT

Préparation : 40 min • **Cuisson :** 40 min • **Pour 6 personnes**

1 kg de pommes de terre à chair farineuse • 400 g de tomme fraîche de Laguiole ou de Salers • 125 g de beurre • 200 g de crème fraîche épaisse • sel et poivre

- Lavez les pommes de terre en les brossant sous l'eau froide et mettez-les dans une marmite.

- Couvrez-les d'eau froide et portez à ébullition. Baissez le feu et laissez cuire pendant 30 min. Égouttez-les.

- Pelez les pommes de terre. Coupez le fromage en lamelles assez fines.

- Écrasez les pommes de terre dans une terrine à l'aide d'un presse-purée, ajoutez le beurre et la crème, salez et poivrez.

- Mélangez à l'aide d'une spatule et versez la préparation dans une casserole à fond épais.

- Mettez-la sur feu modéré et faites chauffer en remuant. Incorporez le fromage en lamelles en remuant vigoureusement afin qu'il fonde peu à peu dans la purée.

- Continuez à remuer jusqu'à ce que des fils apparaissent lorsque vous levez la spatule. Servez aussitôt.

Aligot allégé

Pour une préparation plus légère, remplacez la crème fraîche épaisse par de la crème fleurette, réduisez la proportion de beurre et servez l'aligot en plat principal accompagné d'une salade verte.

Aligot aux fines herbes

Au moment d'incorporer le fromage dans la purée chaude, ajoutez 1 poignée de persil plat finement ciselé et servez l'aligot parsemé de pluches de cerfeuil et de feuilles d'estragon.

Aligot à la truffe

Brossez et détaillez une truffe fraîche en fines lamelles et déposez-les à la surface de l'aligot servi dans les assiettes.

Aligot aux champignons

Faites revenir 400 g de champignons des bois nettoyés (mousserons, girolles) à la poêle pendant 20 min avec 1 échalote émincée et 25 g de beurre, et répartissez-les sur l'aligot au moment de servir.

Auvergne

Bouchées au poisson

Remplacez les ris de veau, le poulet et les quenelles par des petits tronçons de filets de soles pochés, des queues de crevettes cuites et des petits médaillons de lotte simplement revenus dans un peu de beurre.

Vol-au-vent

Commandez chez votre pâtissier une croûte à vol-au-vent pour 6 personnes et faites-la réchauffer au four avant de la remplir avec la garniture.

Bouchées végétariennes

Remplacez la viande par des petites boules de carottes et de navets, ainsi que par des petits pois et des pois gourmands : faites cuire ces légumes mélangés à la vapeur en veillant à ce qu'ils restent croquants.

Minibouchées

Demandez à votre pâtissier de préparer une douzaine de minibouchées à la reine, répartissez la garniture dedans et servez-les en amuse-gueule sur des petites assiettes, accompagnés de champagne.

BOUCHÉES À LÀ REINE

Préparation : 30 min • **Cuisson :** 30 min • **Pour 6 personnes**

200 g de petits champignons de couche • 1 citron • 150 g de ris de veau • 45 g de beurre • 50 g de farine • 70 cl de bouillon de volaille • 2 blancs de poulet cuits • 6 petites quenelles de veau • 3 jaunes d'œufs • 10 cl de crème fraîche épaisse • 6 croûtes à bouchée en pâte feuilletée • sel et poivre

● Nettoyez, émincez et citronnez les champignons. Faites cuire les ris de veau dans de l'eau bouillante salée pendant 10 min, égouttez-les, dépouillez-les et coupez-les en petits dés.

● Faites un roux dans une casserole avec le beurre fondu et la farine. Faites-le cuire pendant 3 min. Versez le bouillon et portez à ébullition.

● Ajoutez les blancs de volaille coupés en petits dés, les ris de veau ainsi que les champignons bien égouttés. Salez et poivrez.

● Faites chauffer en remuant délicatement puis incorporez les quenelles détaillées en morceaux.

● Mélangez doucement puis liez avec les jaunes d'œufs en veillant bien à ne pas laisser bouillir. Ajoutez la crème. Faites chauffer encore pendant 5 min.

● D'autre part, faites réchauffer les croûtes des bouchées au four à 180 °C.

● Quand elles sont bien sèches, remplissez-les avec la garniture en sauce et servez aussitôt.

Canapés de brandade

Répartissez la brandade sur des petites croûtes de pain grillé ou dans des barquettes de pâte feuilletée et décorez avec des olives noires dénoyautées.

Croque-monsieur

Tartinez la brandade sur 6 tranches de pain de mie légèrement toastées, ajoutez 1 tranche de jambon cru découenné au milieu et recouvrez de 1 autre tranche de pain grillé.

Brandade à la pomme de terre

Vous pouvez aussi préparer une brandade en remplaçant la moitié de la morue pilée par de la purée de pommes de terre. Garnissez le dessus de rondelles d'œufs durs.

Brandade aux olives

Répartissez la brandade de morue dans des cassolettes individuelles, ajoutez 3 olives vertes et 3 olives noires dénoyautées sur chacune puis terminez avec 1 branche de céleri crue.

BRANDADE DE MORUE

Préparation : 25 min • **Trempage :** 12 h • **Cuisson :** 15 min
Pour 6 personnes

*1 kg de filets de morue • 1 bouquet garni riche en thym • 20 cl de lait
• 2 gousses d'ail • 2 verres d'huile d'olive • poivre au moulin*

- Faites tremper les filets de morue dans de l'eau froide pendant 12 h, peau dessus, en renouvelant l'eau plusieurs fois.

- Égouttez-les, mettez-les dans une casserole d'eau froide, portez lentement à ébullition puis baissez le feu et laissez pocher doucement pendant 12 min en ajoutant le bouquet garni.

- Égouttez la morue (jetez le bouquet garni), effeuillez-la dans un plat creux, retirez la peau et les arêtes. Faites chauffer doucement le lait dans une casserole.

- Pelez les gousses d'ail et pilez-les dans un grand mortier, ajoutez la morue peu à peu en la pilant régulièrement.

- Incorporez ensuite alternativement le lait chauffé et l'huile d'olive, en travaillant énergiquement le mélange jusqu'à l'obtention d'une consistance homogène et souple. Poivrez.

- Servez brûlant ou tiède.

Minibretzels

Façonnez la pâte en fines bandelettes de 15 cm de long environ, préparez-les de la même façon que les autres mais servez-les à l'apéritif avec des bâtonnets faits de la même pâte.

Bretzels au cumin

Au lieu de saupoudrer les bretzels de gros sel, parsemez-les de graines de cumin. Ajoutez également 1 c. à s. de graines de cumin grossièrement pilées dans la pâte.

Bretzels à l'oignon

Incorporez 2 c. à s. d'oignon blanc pelé et finement râpé dans la pâte des bretzels puis parsemez-les en fin de cuisson de quelques cuillerées d'oignon finement émincé.

Bretzels au fromage

Incorporez 2 c. à s. de parmesan fraîchement râpé dans la pâte à bretzels et parsemez-les en fin de cuisson de 4 c. à s. de comté ou de beaufort râpés.

BRETZELS

Préparation : 30 min • **Repos :** 1 h 30 • **Cuisson :** 25 min • **Pour 10 pièces**

500 g de farine • 10 g de levure de boulanger • 15 g de beurre • 30 cl de lait • 40 g de bicarbonate de soude • 2 c. à c. de sel fin • gros sel

- Mélangez et pétrissez la farine avec 1 c. à c. de sel fin, la levure de boulanger, le beurre ramolli et le lait froid sur un plan de travail fariné.

- Placez la boule de pâte bien pétrie dans un saladier, couvrez-la d'un torchon et laissez lever pendant 1 h 30.

- Partagez la pâte en 10 portions et roulez-les en boudins ou en bandelettes de 40 cm de long, un peu plus épaisses au milieu.

- Croisez les deux extrémités de chaque boudin et ramenez-les vers l'intérieur en les recroisant une fois sur eux-mêmes.

- Soudez les deux bouts d'un côté et de l'autre de la partie arrondie du bretzel.

- Plongez les bretzels dans une grande casserole d'eau portée à ébullition avec le sel fin restant et le bicarbonate de soude.

- Laissez-les remonter à la surface puis égouttez-les sur du papier absorbant.

- Déposez-les ensuite sur la plaque du four et saupoudrez-les de gros sel, puis faites quelques entailles au couteau sur chaque bretzel.

- Faites-les cuire au four à 200 °C pendant 15 min. Sortez-les et laissez-les refroidir complètement sur une grille.

Alsace

Cannelloni à la viande

Remplacez le brocciu par la même quantité de viande de bœuf hachée et rissolée à l'huile pendant 2 min puis bien égouttée.

Cannelloni à la tomate

Nappez les cannelloni à moitié cuits de 1 épaisse couche de coulis de tomates au basilic, saupoudrez-les de parmesan et remettez-les au four pour finir la cuisson.

Cannelloni aux anchois

Remplacez le jambon cru par du jambon cuit détaillé en fines lamelles et servez les cannelloni sans fromage, nappés d'un coulis de tomates fraîches dans lequel vous aurez incorporé 4 filets d'anchois égouttés et grossièrement hachés.

Cannelloni aux pignons

Ajoutez 1 c. à s. de pignons grillés grossièrement hachés dans la farce et servez les cannelloni nappés d'une sauce tomate dans laquelle vous aurez ajouté des pignons frais et de la menthe ciselée.

CANNELLONI AU BROCCIU

Préparation : 15 min • Cuisson : 25 min • Pour 4 personnes

500 g de brocciu corse • 2 œufs + 1 jaune d'œuf • 4 c. à s. de persil • 8 c. à s. de parmesan • 12 grands carrés de pâte à nouilles • 12 fines tranches de jambon cru • 4 c. à s. de sauce tomate• 25 g de beurre • sel et poivre

● Mélangez le fromage bien égoutté, les œufs, le persil et 4 c. à s. de parmesan dans une terrine. Salez et poivrez.

● Faites cuire les carrés de pâte à nouilles dans de l'eau bouillante salée pendant 3 min. Égouttez-les à fond.

● Posez sur chaque carré de pâte une tranche de jambon, une portion de farce au brocciu et un peu de sauce tomate.

● Roulez les cannelloni et rangez-les dans un plat. Arrosez-les de beurre fondu et faites-les cuire au four à 100 °C pendant 20 min.

● Saupoudrez-les du parmesan restant et servez-les dans le plat.

Corse

CÈPES À LA BORDELAISE

Préparation : 15 min • Cuisson : 20 min • Pour 4 personnes

800 g de cèpes de bonne taille • 2 c. à s. d'huile de maïs • 1 échalote • sel et poivre

● Coupez les pieds des cèpes au ras du chapeau. Pelez-les et réservez-les. Nettoyez les chapeaux sans les laver et coupez-les en tranches épaisses.

● Versez l'huile dans une grande poêle et faites-la chauffer. Quand elle est bien chaude, ajoutez les tranches de chapeaux et faites-les dorer en les retournant sans cesse, salez et poivrez. Baissez le feu, couvrez et laissez cuire tout doucement pendant 10 min.

● Pelez l'échalote, ciselez-la et ajoutez à la préparation.

● Pendant ce temps, hachez finement les pieds. Ajoutez ce hachis aux cèpes, couvrez à nouveau et laissez cuire, toujours très doucement, pendant 10 min. Servez très chaud dans un plat creux.

Cèpes à la persillade

Ajoutez 2 gousses d'ail pelées et finement hachées et 4 c. à s. de persil plat ciselé pendant les dernières minutes de cuisson. Garnissez le plat de pluches de persil frais.

Cèpes à la périgourdine

Prolongez la cuisson de 10 min en ajoutant 125 g de chair à saucisse fine et 2 c. à s. de vin rouge pour obtenir une sorte de ragoût (cette recette est idéale pour des cèpes pas très jeunes ni très fermes).

Cèpes à la landaise

Ajoutez 200 g de lardons maigres ou 2 tranches de jambon de Bayonne découennées taillées en languettes pendant la cuisson. Garnissez le plat de ciboulette ciselée au moment de servir.

Cèpes à la limousine

Ajoutez des marrons cuits au naturel brisés en menus morceaux et mélangés avec 2 c. à s. de vin blanc sec durant les dernières minutes de cuisson.

CERVELAS EN BRIOCHE

Préparation : 45 min • Repos : 12 h • Cuisson : 1 h 20 • Pour 6 personnes

*450 g de farine • 15 g de levure • sucre en poudre • 10 cl de lait
• 3 œufs • 150 g de beurre + un peu pour beurrer le moule • 1 cervelas
pistaché et truffé de 800 g environ • 1 jaune d'œuf • sel fin*

- Tamisez la farine dans une terrine et creusez-y un puits. Délayez la levure et 3 pincées de sucre en poudre dans le lait chauffé et ajoutez-le à la farine.

- Mélangez puis incorporez les œufs, l'un après l'autre, 2 pincées de sel et 150 g de beurre ramolli.

- Laissez gonfler cette pâte pendant 2 h, enfoncez-la avec le poing puis réservez-la au frais jusqu'au lendemain.

- Faites pocher le cervelas à l'eau frémissante pendant 35 min. Égouttez-le et épongez-le.

- Abaissez la pâte en rectangle, enveloppez le cervelas dedans et badigeonnez l'extérieur avec le jaune d'œuf.

- Placez le cervelas en brioche sur la tôle du four beurrée et faites cuire au four à 190 °C pendant 45 min. Servez de préférence tiède.

Salade de scarole

Servez le cervelas en brioche avec une salade de scarole assaisonnée d'une vinaigrette à l'échalote et agrémentée de 2 petites tomates ébouillantées, pelées et concassées. Garnissez de pluches de cerfeuil.

Saucisson brioché

Remplacez le cervelas pistaché et truffé, typiquement lyonnais, par un gros saucisson de Morteau fumé (poché 10 min à l'eau bouillante avant de l'envelopper de pâte) et servez avec une salade de pommes de terre tièdes.

Cervelas en croûte

Remplacez la pâte briochée par de la pâte feuilletée, en façonnant plusieurs petits pâtés en croûte, ou par de la pâte brisée agrémentée de 2 c. à s. de graines de carvi finement pilées.

Canapés de cervelas

Tranchez le cervelas en brioche en rondelles épaisses et servez-les sur de fines tranches de pain aux noix légèrement toastées ; vous pouvez éventuellement agrémenter les toasts de 1 fine lamelle de truffe fraîche.

CERVELLE DE CANUT

Préparation : 20 min • Repos : 1 h • Pour 4 personnes

500 g de fromage blanc de lait de vache • 1 gros bouquet de ciboulette • 12 brins de cerfeuil • 10 brins de persil plat • 2 gousses d'ail • 3 échalotes • 2 c. à s. d'huile de maïs • 1 c. à s. de vinaigre de vin blanc • sel et poivre

- Réunissez le fromage blanc égoutté, les fines herbes ciselées, les gousses d'ail et les échalotes pelées et émincées dans un saladier.

- Mélangez, salez et poivrez.

- Incorporez l'huile et le vinaigre en remuant. Goûtez et rectifiez l'assaisonnement.

- Laissez reposer au frais pendant au moins 1 h avant de servir.

- Proposez des tranches de pain grillées en accompagnement ou tartinez la cervelle de canut sur des tartines de pain de campagne.

Salade de pissenlits aux lardons

Servez la cervelle de canut avec une salade de pissenlits et de lardons rissolés assaisonnée d'une vinaigrette à l'échalote ; ajoutez 1 filet de la graisse des lardons sur la salade au moment de la servir.

Sandwiches

Tartinez de larges tranches de pain de campagne écroûtées de cervelle de canut et posez une seconde tranche, plus fine, par-dessus ; beurrez légèrement cette tranche et passez le tout sous le gril pendant 15 s.

Salade de betteraves

Servez la cervelle de canut tartinée sur des tranches de pain de seigle avec une salade de betteraves crues finement râpées, assaisonnée à l'huile de noisette et au vinaigre de vin blanc à l'estragon.

Salade de carottes

Servez la cervelle de canut tartinée sur des tranches de pain aux noix avec une salade de carottes râpées à la vinaigrette agrémentée de quelques oignons nouveaux finement émincés.

Farce aux herbes

Supprimez la chair à saucisse et préparez une farce avec 180 g de chou frisé paré et émincé, 1 bouquet de persil plat ciselé et quelques feuilles d'oseille ou de jeunes pousses d'épinard.

Farce à la volaille

Remplacez la chair à saucisse par un mélange de blancs de volaille et de foies de volaille détaillés en menus morceaux et liés avec 1 c. à s. de crème fraîche et 1 c. à s. de cognac.

Farce aux champignons

Remplacez la chair à saucisse par 200 g de petites girolles nettoyées et grossièrement hachées, mélangées avec 1 tête de cèpe coupée en petits dés, 2 échalotes au lieu d'une seule.

Farce aux crevettes

Mélangez 350 g de crevettes décortiquées avec 1 jaune d'œuf, 3 blancs d'œufs, 4 c. à s. de crème fraîche et 1 bouquet de ciboulette finement ciselée ; remplissez les chapeaux de cette farce et passez-les sous le gril pendant environ 10 min.

Préparation : 45 min • **Cuisson :** 40 min • **Pour 4 personnes**

16 gros champignons de couche bien fermes • 1 grande tranche de pain de mie • 10 cl de lait • 1 escalope de veau de 100 g • 2 oignons • 1 échalote • huile de tournesol • 200 g de chair à saucisse • 1 bouquet de ciboulette • sel et poivre

● Coupez les pieds des champignons au ras des chapeaux puis hachez-les.

● Faites tremper le pain dans le lait. Hachez finement le veau. Pelez les oignons et l'échalote.

● Faites revenir les oignons et l'échalote hachés dans un peu d'huile, ajoutez les deux viandes hachées et les pieds des champignons.

● Mélangez, salez et poivrez. Faites cuire en remuant pendant 20 min.

● Hors du feu, incorporez le pain bien essoré et la ciboulette ciselée.

● Remplissez les chapeaux de cette farce et rangez-les dans un plat à gratin huilé.

● Faites cuire au four à 200 °C pendant 20 min. Servez aussitôt.

Pays de la Loire

Salade de chou rouge au poisson fumé

Préparez le chou rouge comme dans la recette et servez-le avec des lamelles de maquereaux fumés ou des languettes de flétan fumé.

Chou rouge au lard

Accompagnez le chou rouge de tranches de lard fumé et de saucisses de Strasbourg pochées pour en faire un plat complet.

Chou rouge aux pommes séchées

Vous pouvez remplacer la moitié des pommes fraîches par des rondelles de pommes séchées ou bien ajouter 1 grosse poire à chair ferme et diminuer la proportion de cumin.

Chou rouge aux myrtilles

Remplacez la moitié des pommes par un mélange de myrtilles et de groseilles pas trop mûres.

CHOU ROUGE AUX POMMES

Préparation : 20 min • Cuisson : 1 h • Pour 6 personnes

1 chou rouge bien ferme • 2 oignons • 60 g de saindoux
• 1 c. à s. bombée de sucre en poudre roux • 6 baies de genièvre
• 6 grains de poivre • 40 cl de vin rouge • 1 c. à s. de graines de cumin
• 4 pommes acides • sel fin

● Parez le chou, ôtez les grosses côtes et émincez-le finement. Faites blondir les oignons finement émincés avec le saindoux dans une cocotte.

● Ajoutez le chou, saupoudrez de sucre et salez. Placez le genièvre et le poivre concassés dans un sachet de mousseline et enfouissez-le au milieu de la préparation.

● Versez le vin, saupoudrez de cumin et laissez mijoter pendant 30 min.

● Ajoutez les pommes pelées, évidées et taillées en petits morceaux. Poursuivez la cuisson pendant 30 min.

● Retirez le nouet d'aromates et rectifiez l'assaisonnement avant de servir chaud.

Alsace

CHOUX DE BRUXELLES AUX LARDONS

Préparation : 25 min • Cuisson : 30 min • Pour 5 personnes

1 kg de choux de Bruxelles • 200 g de lardons fumés • 40 g de beurre
• 2 échalotes • sel et poivre

● Parez les choux de Bruxelles et entaillez-les en croix à la base.

● Faites-les blanchir pendant 5 min dans de l'eau bouillante salée,
égouttez-les puis faites-les cuire une seconde fois dans de l'eau
bouillante salée pendant 10 min.

● Égouttez-les à fond. Faites rissoler les lardons dans une cocotte
avec le beurre pendant 5 min.

● Ajoutez les choux de Bruxelles et les échalotes pelées et hachées,
salez et poivrez.

● Mélangez délicatement et faites mijoter pendant environ 10 min.
Rectifiez l'assaisonnement.

Choux à la flamande

Réduisez les choux de Bruxelles cuits en purée avec quelques cuillerées de purée de pommes de terre et remplacez les lardons fumés par des rondelles de saucisson poché à l'eau bouillante.

Choux à la normande

Remplacez les lardons par des rondelles de boudin noir rissolées au beurre et ajoutez des lamelles de pomme citronnées revenues au beurre, salées et poivrées.

Choux à la bretonne

Remplacez la moitié des choux de Bruxelles par des petits bouquets de chou-fleur cuits à la vapeur et les lardons fumés par des rondelles d'andouillette fumée crue, ajoutées au dernier moment.

Choux à l'ardennaise

Ajoutez de 2 à 3 cuillerées de baies de genièvre concassées en même temps que les choux de Bruxelles ; remplacez les lardons fumés par de la langue de bœuf fumée.

Champagne-
Ardenne

COQUILLES SAINT-JACQUES À LA NORMANDE

Préparation : 10 min • Cuisson : 8 min • Pour 4 personnes

12 noix de saint-jacques • 30 cl de cidre brut • 1 oignon • 1 bouquet garni • 80 g de beurre • 3 c. à s. de ciboulette ciselée • sel et poivre

- Rincez et épongez les noix de saint-jacques. Mettez-les dans une casserole et versez le cidre. Ajoutez l'oignon pelé et émincé, le bouquet garni, salez et poivrez.

- Portez lentement à ébullition puis baissez le feu et laissez frémir pendant 5 min. Retirez les noix de saint-jacques du feu et égouttez-les.

- Faites fondre le beurre et répartissez-en la moitié dans 4 coquilles bien nettoyées. Déposez dessus 3 noix de saint-jacques par coquille, salez et poivrez, répartissez la ciboulette et arrosez du beurre fondu restant.

- Rangez les coquilles sur la tôle du four et faites-les dorer sous le gril pendant 3 min environ. Servez aussitôt.

Saint-jacques à la provençale

Remplacez le cidre par du vin blanc et garnissez les noix de saint-jacques d'un mélange de 2 c. à s. de chapelure, de 2 c. à s. de persil plat et de 1 gousse d'ail hachée.

Saint-jacques à la vapeur d'algues

Répartissez un peu de varech bien lavé sur 4 carrés de papier d'aluminium ; déposez les noix de saint-jacques dessus, refermez et faites cuire au four à 220 °C pendant 10 min ; ouvrez les papillotes et ajoutez 50 g de beurre demi-sel sur chacune.

Saint-jacques aux poireaux

Ajoutez 200 g de jeunes poireaux parés et émincés avec 2 échalotes grises pelées et hachées dans les coquilles au moment de la cuisson.

Saint-jacques en salade

Mélangez les noix de saint-jacques dans un plat avec 200 g de courgettes en rondelles, salez et poivrez, arrosez de jus de citron et de 1 filet d'huile ; faites cuire pendant 3 min au four à micro-ondes et servez tiède.

Crème de lentilles au saumon

Servez la crème de lentilles mixée dans des assiettes creuses chaudes et garnissez-la de petits cubes de saumon fumé ; ajoutez 1 c. à s. de crème fouettée et de la ciboulette.

Crème de lentilles à l'anguille

Découpez des filets d'anguille fumée en lamelles et déposez-les sur la crème de lentilles ; garnissez de mâche ou de feuilles de pourpier.

Crème de lentilles aux lardons

Garnissez la crème de lentilles de dés de lardons maigres fumés au moment de servir. Ajoutez quelques chips de pommes de terre ou de maïs.

Crème de lentilles à la lyonnaise

Pelez 1 oignon jaune et défaites-le en anneaux ; plongez-les dans une pâte à tempura (farine de riz fouettée avec de l'eau glacée), faites-les frire à l'huile et garnissez-en la crème de lentilles.

CRÈME DE LENTILLES

Préparation : 10 min • Trempage : 1 h • Cuisson : 50 min
Pour 4 personnes

250 g de lentilles • 1 oignon • 1 carotte • 15 g de beurre
• 20 cl de crème fraîche • 50 g de cressonnette • 50 g de fromage frais
• sel et poivre

- Triez les lentilles et lavez-les à plusieurs reprises puis mettez-les à tremper dans de l'eau froide pendant 1 h. Pelez l'oignon et la carotte et taillez-les en très petits dés.

- Égouttez les lentilles. Faites fondre le beurre dans une grande casserole, ajoutez l'oignon et la carotte. Remuez à l'aide d'une spatule pendant 5 min.

- Ajoutez les lentilles avec deux fois leur volume d'eau. Mélangez intimement.

- Couvrez et faites cuire à feu doux pendant 45 min. Retirez la casserole du feu et passez son contenu au moulin à légumes.

- Remettez la purée sur le feu, incorporez la crème fraîche et remuez sur feu modéré pour bien lier. Salez et poivrez.

- Répartissez dans des bols ou des assiettes creuses. Ajoutez la cressonnette et le fromage frais finement émietté en garniture.

CRÊPES
DE POMMES DE TERRE

Préparation : 30 min • **Cuisson :** 35 min • **Pour 4 personnes**

8 pommes de terre moyennes • 2 gousses d'ail • 3 échalotes
• 3 c. à s. de ciboulette ciselée • 150 g de fromage blanc bien égoutté
• 3 c. à s. de crème fraîche épaisse • 2 c. à s. de farine • 2 œufs • huile
• beurre • sel et poivre

● Faites cuire les pommes de terre lavées mais non pelées dans de l'eau bouillante salée, égouttez-les, pelez-les et passez-les au presse-purée.

● Pelez l'ail et les échalotes. Ajoutez l'ail haché et les échalotes émincées, la ciboulette, le fromage blanc, la crème et la farine.

● Mélangez intimement pendant 5 min puis incorporez les œufs un par un, salez et poivrez. La pâte doit être assez consistante.

● Faites chauffer un peu d'huile et de beurre dans une grande poêle.

● Prélevez une bonne portion de pâte, déposez-la dans la poêle, aplatissez-la et laissez-la rissoler doucement, retournez-la et faites-la rissoler de l'autre côté.

● Faites ainsi cuire les crêpes 4 par 4 en les égouttant au fur et à mesure. Salez et poivrez. Servez sans attendre.

Criques de pommes de terre

Râpez grossièrement les pommes de terre crues puis ajoutez 2 c. à s. de farine, les fines herbes et la crème fraîche.

Crêpes de pommes de terre au fromage

Incorporez 100 g de fromage râpé (gruyère, parmesan ou les deux) dans la pâte et remplacez la ciboulette par un mélange de persil et d'estragon.

Garniture au jambon

Servez les crêpes de pommes de terre avec des tranches de jambon à l'os chauffées dans une poêle avec 1 noix de beurre, 1 échalote finement ciselée et 4 c. à s. de vin blanc ou de cidre.

Crêpes de pommes de terre et maïs

Incorporez 150 g de grains de maïs bien égouttés dans la pâte des crêpes de pommes de terre et servez-les avec une scarole assaisonnée de vinaigrette à l'échalote.

Lorraine

Croque-madame

Ajoutez un œuf cuit sur le plat sur les croque-monsieur passés à la poêle.

Croque-monsieur au saumon

Remplacez les tranches de pain par des demi-bagels et le jambon par des tranches de saumon fumé. Tartinez le bagel de fromage frais mélangé à du concombre haché.

Croque-monsieur à l'italienne

Tartinez le pain d'un peu de pesto, puis garnissez-le de rondelles de tomates arrosées de 1 filet d'huile d'olive et de tranches de mozzarella.

Croque-monsieur au poulet et au gouda

Utilisez du pain de campagne à la place du pain de mie ; remplacez le jambon par des blancs de poulet bien aplatis et le gruyère par des lamelles de gouda.

CROQUE-MONSIEUR

Préparation : 15 min • Cuisson : 20 min • Pour 4 personnes

125 g de beurre • 8 tranches de pain de mie de 12 cm de côté • 120 g de gruyère • 2 tranches de jambon de Paris de 50 g

- Beurrez les tranches de pain. Détaillez le fromage en lamelles régulières puis répartissez-les sur 4 tranches de pain beurrées.

- Ajoutez par-dessus ½ tranche de jambon et recouvrez de 1 autre tranche de pain, côté beurré vers l'intérieur.

- Faites chauffer 1 noix de beurre dans une grande poêle puis ajoutez 2 croque-monsieur.

- Faites-les dorer sur une face, retournez-les et faites-les dorer de l'autre côté en rajoutant un peu de beurre.

- Tenez-les au chaud au four pendant la cuisson des deux autres.

CROÛTES AUX MORILLES

Préparation : 25 min • Cuisson : 20 min • Pour 4 personnes

600 g de morilles fraîches • 25 g de beurre • 10 petits oignons grelots • 1 échalote • 1 citron • 10 cl de vin blanc moelleux • 8 grandes tranches de pain de campagne au levain • 20 cl de crème fraîche • sel et poivre

● Nettoyez soigneusement les morilles et faites-les chauffer dans une poêle antiadhésive sans rien ajouter pour leur faire rendre leur eau.

● Faites fondre le beurre dans une poêle puis faites blondir les oignons et l'échalote pelés et émincés.

● Ajoutez les morilles, un peu de jus de citron et le vin, salez et poivrez. Laissez mijoter pendant 5 min.

● Par ailleurs, faites griller les tranches de pain.

● Ajoutez la crème fraîche aux morilles et faites cuire à feu plus vif pendant 5 min.

● Répartissez la préparation sur les tranches de pain et passez-les au four à 220 °C pendant 3 min. Servez aussitôt.

Croûtes savoyardes

Faites tremper 4 tranches de pain de campagne dans 4 œufs battus mélangés à 3 c. à s. de lait pendant 2 min ; rangez-les dans un plat beurré, posez 4 tranches de lard maigre dessus, parsemez de fromage râpé et faites gratiner au four pendant 5 min.

Croûtes berrichonnes

Remplacez les morilles par des girolles. Au moment de servir, ajoutez des lamelles de crottin de Chavignol sur le dessus.

Croûtes normandes

Confectionnez des croûtes normandes en remplaçant le lard par des tranches de camembert relevées de poivre au moulin.

Croûtes bretonnes

Confectionnez des croûtes bretonnes, en remplaçant le lard par des tranches de jambon blanc fumé.

CROÛTONS AUX ANCHOIS ET AU JAMBON

Préparation : 10 min • Cuisson : de 2 à 3 min • Pour 4 personnes

100 g de roquette • huile d'olive • 1 citron • 8 filets d'anchois à l'huile • 4 tranches de pain de campagne au levain • 4 grandes tranches de jambon cru • sel et poivre

● Lavez et rincez la roquette, essorez-la et assaisonnez-la de 1 filet d'huile d'olive et le jus du citron, salez et poivrez. Réservez.

● Épongez soigneusement les filets d'anchois. Détaillez les tranches de pain en 8 carrés et badigeonnez-les d'huile.

● Passez-les rapidement sous le gril du four pour les colorer.

● Déposez un peu de roquette et ½ tranche de jambon (enlevez la couenne, mais laissez le gras) sur chaque carré de pain.

● Garnissez les croûtons d'un filet d'anchois et servez en amuse-gueule.

Croûtons catalans

Frottez d'ail 4 tranches de pain de campagne légèrement grillées et écrasez ½ tomate pelée sur chaque tranche. Recouvrez de ½ tranche de jambon cru.

Croûtons aux rillettes

Tartinez des tranches de pain de mie complet légèrement toastées de rillettes de porc puis garnissez-les de rondelles de cornichons et de lamelles de betterave au vinaigre.

Croûtons aux crevettes

Tartinez des tranches de pain de mie blanc légèrement toastées de beurre de crevettes et garnissez-les de queues de crevettes décortiquées, roulées dans un peu d'huile additionnée de 1 pincée de paprika.

Croûtons au boudin noir

Découpez une baguette de campagne en tranches assez épaisses et tartinez-les de beurre de cresson. Garnissez-les de rondelles de boudin froid et ajoutez ½ pruneau sur chaque rondelle.

Blettes au jambon

Remplacez les endives par des côtes de blettes cuites dans un blanc (eau bouillante avec 1 c. à s. de farine) pendant 20 min puis égouttez-les à fond ; remplacez le jambon fumé par du jambon blanc.

Laitues à la dinde

Remplacez les endives par des laitues entières, parées et lavées, blanchies rapidement à l'eau bouillante, égouttées et bien essorées, et le jambon fumé par de fines tranches de rôti de dinde.

Poireaux au jambon

Remplacez les endives par des blancs de poireau (2 ou 3 par tranche de jambon en fonction de leur taille), cuits à l'eau pendant 15 min, égouttés et essorés ; utilisez du parmesan.

Panais au jambon

Remplacez les endives par des panais longs, pelés et cuits à l'eau pendant 20 min, bien égouttés, et le jambon fumé par du bacon ou par des tranches de jambon cru légèrement fumé.

ENDIVES AU JAMBON

Préparation : 20 min • **Cuisson :** 40 min • **Pour 4 personnes**

25 g de beurre + un peu pour beurrer le plat • 25 g de farine
• 50 cl de lait • noix muscade fraîchement râpée • 70 g de fromage râpé
• 800 g d'endives • 1 citron • 8 tranches de jambon fumé • sel et poivre

● Préparez une sauce béchamel : faites cuire dans une casserole 25 g de beurre avec la farine, versez le lait en remuant, salez, poivrez et saupoudrez de noix muscade.

● Laissez cuire pendant 15 min, puis incorporez la moitié du fromage. Réservez.

● Faites blanchir les endives parées et citronnées dans une casserole d'eau bouillante pendant 5 min, égouttez-les à fond sur un torchon et coupez-les en deux dans la longueur.

● Enroulez chaque moitié d'endive de 1 tranche de jambon fumé.

● Rangez les endives dans un plat à gratin beurré où vous aurez versé la béchamel au fromage.

● Parsemez du fromage restant et faites gratiner au four à 200 °C pendant 20 min environ. Servez dans le plat.

Champagne-
Ardenne

ESCARGOTS À LA BOURGUIGNONNE

Préparation : 45 min • **Cuisson :** 10 min • **Pour 6 personnes**

350 g de beurre demi-sel • 1 gros bouquet de persil plat • 4 gousses d'ail • 6 échalotes • 6 douzaines d'escargots de Bourgogne en boîte avec les coquilles • poivre blanc concassé

- Malaxez le beurre ramolli à l'aide d'une fourchette.

- Incorporez-y peu à peu le persil finement ciselé, l'ail et l'échalote pelés et très finement hachés.

- Ajoutez 1 c. à c. de poivre blanc. Réservez au frais.

- Rincez les escargots et épongez-les. Remplissez à moitié les coquilles avec du beurre d'escargot.

- Ajoutez un escargot en l'enfonçant légèrement dans la coquille et terminez en remplissant de beurre d'escargot.

- Rangez les escargots dans des plats alvéolés, ouverture vers le haut (ou dans des assiettes en porcelaine à feu).

- Faites cuire sous le gril du four pendant 10 min, jusqu'à ce que le beurre grésille. Servez aussitôt.

Tarte aux escargots

Préparez un fond de tarte brisée et une garniture de quiche lorraine, en remplaçant les lardons par des escargots.

Cassolettes d'escargots

Déposez 1 croûton dans le fond de 6 cassolettes individuelles, répartissez les escargots décoquillés dessus, ajoutez 1 noix de beurre d'escargot et passez au four pour faire fondre le beurre.

Bouillon d'escargot

Préparez un bouillon de volaille un peu corsé et répartissez-le bien chaud dans de petites soupières individuelles, où vous aurez placé les escargots décoquillés. Ajoutez 1 noix de beurre d'escargot, faites le fondre en mélangeant légèrement et servez.

Gratin d'escargot

Placez les escargots décoquillés dans un plat à gratin et versez 4 œufs battus mélangés à 4 c. à s. de crème fraîche et 4 c. à s. de persil plat ciselé. Salez et poivrez. Passez sous le gril pendant quelques minutes.

Bourgogne

Potée de fèves

Prolongez la cuisson des fèves, pour obtenir une préparation plus fondante, et ajoutez 20 cl de bouillon de volaille et quelques tranches de confit de porc à y faire réchauffer au dernier moment.

Velouté de fèves

Supprimez le lard et passez la composition au moulin à légumes afin d'obtenir une consistance lisse ; servez dans de petites soupières individuelles avec des chips de maïs et 1 pincée de paprika.

Salade de fèves

Choisissez des jeunes fèves vertes ; ébouillantez-les, pelez-les et servez-les en salade avec une vinaigrette composée d'huile d'olive, de jus de citron et de vinaigre balsamique.

Fèves à la sarriette

Faites revenir 100 g de lardons maigres avec 1 oignon haché dans une sauteuse, ajoutez 750 g de fèves vertes pelées, 1 c. à s. de sarriette et 2 c. à s. d'eau. Laissez mijoter pendant 15 min environ.

FÈVES AU SAFRAN

Préparation : 10 min • **Trempage :** 12 h • **Cuisson :** 1 h 35
Pour 4 personnes

800 g de fèves sèches • 2 oignons moyens • 1 dose de safran • 150 g de lard de poitrine maigre • 20 g de beurre • 1 c. à s. d'huile de maïs • sel et poivre

- Faites tremper les fèves sèches dans de l'eau non calcaire pendant 12 h. Égouttez-les, pelez-les et mettez-les dans une casserole avec les oignons pelés et très finement émincés.

- Couvrez largement d'eau et faites-les cuire pendant 1 h 30, sans gros bouillons afin d'éviter qu'elles ne se réduisent en purée.

- Environ 15 min avant de servir, faites tremper le safran dans 2 c. à s. d'eau de cuisson.

- Détaillez le lard en très petits dés. Faites chauffer le beurre et l'huile dans une sauteuse. Ajoutez les fèves et les lardons.

- Mélangez en remuant pendant 5 min, puis ajoutez le safran, salez et poivrez. Mélangez de nouveau et servez chaud.

Ficelles aux poireaux

Remplacez les champignons par une fondue de poireaux réalisée avec 200 g de jeunes blancs de poireaux et 40 g de beurre liés avec 2 c. à s. de crème fraîche.

Gratin à la mimolette

Remplacez l'emmental du gratin par de la mimolette jeune détaillée en fines lamelles ou par de la mimolette affinée râpée.

Salade d'endives

Servez les ficelles picardes avec une salade d'endives effilées, mélangées à des petits dés de betterave assaisonnés d'une vinaigrette au vinaigre de vin blanc.

Ficelles au vacherin

Remplacez l'emmental du gratin par de fines lamelles de vacherin crémeux (dont vous aurez préalablement ôté la croûte).

FICELLES PICARDES

**Préparation : 30 min • Repos : 30 min • Cuisson : 35 min
Pour 6 personnes**

250 g de farine • 2 œufs • 40 cl de bière blonde légère • 100 g de beurre • 50 cl de lait • ½ citron • 180 g de champignons de couche • 10 cl de crème fraîche épaisse • huile • 6 grandes tranches de jambon blanc • 80 g d'emmental râpé • sel et poivre

- Préparez une pâte à crêpes avec 200 g de farine, les œufs entiers, la bière et 1 pincée de sel. Laissez reposer.

- Confectionnez une sauce béchamel épaisse avec 50 g de beurre, la farine restante et le lait. Faites-la cuire en remuant, sans la laisser bouillir, pendant 12 min. Réservez.

- Nettoyez, émincez et citronnez les champignons. Faites-les cuire sans les laisser colorer avec 30 g de beurre dans une casserole pendant 10 min, salez et poivrez.

- Incorporez la crème et réservez.

- Faites cuire 12 crêpes avec la pâte dans une poêle huilée. Garnissez chaque crêpe avec ½ tranche de jambon découenné.

- Mélangez la moitié de la béchamel avec les champignons à la crème et répartissez ce mélange sur les crêpes tapissées de jambon.

- Roulez-les et rangez-les dans un plat à gratin beurré.

- Nappez-les avec la béchamel restante, saupoudrez de fromage râpé et faites gratiner au four pendant environ 10 min. Servez aussitôt.

Picardie

FLAMMEKUECHE

Préparation : 20 min • Cuisson : 30 min • Pour 6 personnes

2 gros oignons • 250 g de fromage blanc • 20 cl de crème fraîche épaisse • 500 g de pâte à pain • 180 g de lardons maigres fumés • huile de tournesol • sel et poivre

● Pelez et émincez très finement les oignons. Mélangez le fromage blanc et la crème, salez et poivrez.

● Partagez la pâte en 6 portions et étalez-les très finement.

● Recouvrez-les du mélange précédent puis ajoutez les lardons et, enfin, les oignons.

● Déposez-les sur la tôle du four légèrement huilée, arrosez-les de 1 petit filet d'huile et faites cuire à chaleur maximale pendant 20 min.

● Baissez le feu à 180 °C et continuez la cuisson pendant 10 min. Servez aussitôt.

Flammekueche au chou

Ajoutez 100 g de chou blanc très finement émincé à la garniture ou bien servez les flammekueches accompagnées d'une salade de chou rouge à l'aigre-doux, aux pommes et au vinaigre de cidre.

Flammekueche lorraine

Remplacez les lardons par de fines tranches de jambon fumé taillées en languettes et servez les flammekueches avec une salade de pommes de terre tièdes à la vinaigrette aux graines de pavot.

Flammekueche flamande

Servez les flammekueches avec des asperges blanches tièdes à la vinaigrette, mélangées avec 1 petit bouquet de ciboulette ciselée et garnies d'œufs durs hachés.

Flammekueche à la tourangelle

Remplacez les lardons par des petites miettes de rillettes et ajoutez 2 ou 3 rillons en petits morceaux et de la mâche à la garniture après la cuisson.

Alsace

Compotée d'oignon

Pelez et émincez 3 gros oignons doux. Faites-les chauffer dans 2 c. à s. d'huile de maïs puis laissez compoter doucement pendant 30 min. Ajoutez 100 g de petits raisins secs durant les 15 dernières min.

Gelée au piment d'Espelette

Mixez 2 poivrons rouges épépinés avec 1 c. à c. de piment d'Espelette puis ajoutez 2 feuilles de gélatine trempées et essorées. Mixez de nouveau et laissez refroidir.

Confiture de figues

Faites cuire 800 g de figues violettes avec le même poids de sucre en poudre dans une casserole à fond épais, jusqu'à l'obtention d'une consistance sirupeuse. Poivrez au moulin et ajoutez 1 c. à s. de sauge ciselée.

En pot-au-feu

Pour agrémenter un pot-au-feu classique, servi avec le bouillon en premier plat, faites-y pocher une tranche épaisse de foie gras mi-cuit pendant quelques secondes et servez en soupières individuelles.

FOIE GRAS EN TERRINE

Préparation : 30 min • **Cuisson :** 30 min • **Repos :** 2 jours
Pour 4 à 6 personnes

*1 foie gras cru de canard de 600 g environ • sucre en poudre
• 50 g de graisse de canard • 3 c. à s. d'armagnac • 10 g de sel fin
• poivre gris*

- Enlevez la fine peau qui enveloppe le foie ainsi que la partie verdâtre, qui a pu être touchée par le fiel. Séparez les lobes l'un de l'autre.

- Ouvrez les lobes en deux, dégagez le nerf situé à la base à l'aide d'un petit couteau et tirez dessus délicatement pour faire venir toutes les ramifications.

- Dénervez le foie, retirez les petites taches de sang, lavez rapidement les lobes et essuyez-les dans un torchon fin. Préchauffez le four à 120 °C.

- Assaisonnez les lobes avec le sel, un peu de poivre et de sucre. Laissez reposer au frais. Pendant ce temps, faites fondre la graisse de canard avec l'armagnac dans une petite casserole.

- Mettez les deux lobes dans une terrine juste assez grande pour les contenir, l'un par-dessus l'autre. Tassez-les bien puis arrosez-les de graisse fondue et couvrez.

- Placez la terrine dans un bain-marie et faires cuire dans le four de 25 à 30 min. On peut aussi la faire cuire plus longtemps (environ 1 h), mais à 90 °C seulement.

- Sortez la terrine du four, laissez-la refroidir complètement puis mettez-la au réfrigérateur. Attendez au moins 2 jours avant de la servir en tranches épaisses, bien froides, mais pas glacées.

Aquitaine

FOUGASSES

400 g de farine • 5 g de levure fraîche de boulanger • 1 œuf
• huile d'olive • 5 g de sel

● Pétrissez la farine avec 23 cl d'eau tiède pendant 5 min.

● Laissez reposer pendant 30 min puis incorporez la levure fraîche de boulanger émiettée et le sel.

● Roulez la pâte en boule et laissez lever à 25 °C pendant 1 h 30. Partagez la boule en deux et étalez chacune d'elles en rectangles de 3 cm d'épaisseur.

● Entaillez-les trois ou quatre fois et écartez légèrement les bords des fentes.

● Laissez lever pendant 1 h. Dorez les fougasses à l'œuf battu et faites-les cuire au four à 220 °C, sur la tôle du four légèrement huilée, pendant 25 min.

● Laissez refroidir avant de consommer.

Fougasses aux olives

Incorporez une vingtaine d'olives noires dénoyautées et coupées en petits morceaux à la pâte une fois qu'elle est levée.

Fougasses aux anchois

Faites dessaler une douzaine d'anchois au sel dans de l'eau claire, ou épongez des filets d'anchois à l'huile, et incorporez-les dans la pâte une fois qu'elle est levée.

Fougasses aux lardons

Détaillez 8 tranches de lard de poitrine maigre découennées en petites languettes et incorporez-les dans la pâte avant de la partager en boules ; vous pouvez aussi utiliser de fines lamelles de jambon sec.

Fougasses aux noix

Incorporez 200 g de cerneaux de noix concassés à la pâte une fois qu'elle est levée et badigeonnez les fougasses avec un peu d'huile de noix.

Galettes aux saucisses

Garnissez les crêpes de sarrasin une fois cuites de saucisses plates que vous aurez fait rissoler au beurre dans une poêle. Vous pouvez aussi prendre des chipolatas, et enrouler les crêpes autour.

Galettes aux œufs pochés

Faites pocher des œufs frais dans de l'eau légèrement vinaigrée et ajoutez-les sur les crêpes tartinées d'un peu de beurre frais ; repliez les bords et crevez le jaune au moment de servir ; poivrez au moulin.

Bouillie de sarrasin

Délayez 200 g de farine avec un peu d'eau et 1 c. à s. de gros sel, puis ajoutez 50 cl d'eau tiède en remuant sans arrêt pendant 20 min ; servez chaud avec 1 morceau de beurre frais.

Galettes aux crevettes

Garnissez 4 crêpes cuites de 300 g de crevettes cuites décortiquées passées à la poêle avec 10 cl de crème fraîche et 3 c. à s. de persil plat ciselé.

GALETTES DE SARRASIN

Préparation : 20 min • **Repos :** 2 h • **Cuisson :** 30 min • **Pour 4 personnes**

*350 g de farine de sarrasin • 3 œufs • 50 cl de lait
• 40 cl de crème fraîche • 4 tranches de jambon blanc
• 100 g de feuilles d'oseille • beurre • sel et poivre*

● Versez la farine dans une terrine et faites un puits au milieu. Cassez 2 œufs et séparez les blancs des jaunes.

● Versez le lait et 20 cl de crème dans la terrine et mélangez avec la farine à l'aide d'une cuillère en bois. Incorporez l'œuf entier restant et les 2 jaunes.

● Ajoutez ½ c. à c. de sel. Mélangez intimement et laissez reposer pendant 2 h à température ambiante.

● Détaillez le jambon découenné en petites languettes, mélangez-les à l'oseille ciselée et à la crème restante ; réservez.

● Faites chauffer une grande poêle à crêpes plate sans rebord. Ajoutez 1 noix de beurre et versez une petite louche de pâte.

● Confectionnez la crêpe en la retournant à mi-cuisson. Comptez de 3 à 4 min de cuisson par crêpe.

● Servez les crêpes chaudes au fur et à mesure, tartinées de beurre frais ou bien garnies du mélange de jambon, d'oseille et de crème fraîche.

Bretagne

GNOCCHI DE POMMES DE TERRE

Gnocchi aux fines herbes

Ajoutez 4 c. à s. de persil plat ciselé, 1 c. à c. d'origan et 2 c. à s. de menthe fraîche ciselée au moment de réduire les pommes de terre en purée.

Gnocchi épicés

Incorporez 1 c. à c. de noix muscade râpée, 1 pincée de cardamome en poudre et 1 c. à s. de cari doux en poudre à la purée de pommes de terre.

Gnocchi au fromage de chèvre

Remplacez le parmesan par du fromage de chèvre affiné pilé avec 1 c. à s. de fleur de thym.

Salade de gnocchi

Laissez tiédir les gnocchi égouttés, arrosés d'un peu d'huile d'olive, et servez-les en salade avec de la roquette et une vinaigrette à l'huile d'olive et au vinaigre balsamique.

Préparation : 45 min • **Cuisson :** 35 min • **Pour 4 personnes**

1 kg de pommes de terre farineuses • 1 kg de gros sel de mer • 100 g de farine • 3 jaunes d'œufs • huile d'olive • 15 cl de jus de rôti • 125 g de parmesan râpé • sel et poivre

● Lavez et essuyez les pommes de terre. Étalez le gros sel en couche sur la tôle du four et placez les pommes de terre non pelées dessus.

● Faites cuire au four à 160 °C pendant 25 min environ. Pelez les pommes de terre encore chaudes, puis écrasez-les dans une terrine à l'aide d'un presse-purée.

● Incorporez la farine puis les jaunes d'œufs, salez et poivrez.

● Partagez la pâte obtenue en plusieurs pâtons et roulez-les en boudins de 30 cm de long, détaillez-les en petites portions que vous roulerez en appuyant légèrement dessus avec les dents d'une fourchette.

● Plongez les gnocchis dans une grande marmite d'eau portée à ébullition en plusieurs fois. Égouttez-les dès qu'ils remontent à la surface.

● Faites chauffer de l'huile dans une grande poêle et ajoutez les gnocchi bien égouttés. Faites-les juste colorer puis mettez-les dans un plat à gratin et arrosez-les de jus de rôti chaud.

● Saupoudrez de parmesan et faites gratiner au four pendant quelques minutes. Servez chaud dans le plat de cuisson.

Corse

Couronne

Au lieu de prélever
des boulettes dans la pâte,
façonnez celle-ci en couronne
et déposez-la sur la tôle
beurrée. Prolongez la cuisson
de quelques minutes.

Gougères aux deux fromages

Au lieu du gruyère râpé,
utilisez un mélange
de mimolette affinée
et de beaufort ou de comté.

Gougères aux fines herbes

Incorporez 4 c. à s. de
ciboulette finement ciselée
en même temps que le fromage.
Servez les gougères fendues
en deux, farcies de fromage
blanc aux fines herbes.

Gougères au cumin

Pour donner du relief à la pâte
à choux, incorporez 2 c. à c. de
graines de cumin ou de carvi.

Préparation : 15 min • Cuisson : 25 min • Pour 6 personnes

*100 g de beurre + 30 g pour beurrer la tôle • 150 g de farine • 4 œufs
• 150 g de gruyère râpé • 1 jaune d'œuf • sel*

● Faites bouillir 25 cl d'eau dans une casserole. À ébullition, ajoutez
100 g de beurre coupé en morceaux, salez et mélangez.

● Versez la farine en une seule fois et mélangez aussitôt à l'aide
d'une cuillère en bois.

● Lorsque la pâte se détache des parois, incorporez les œufs entiers
un par un hors du feu, en remuant soigneusement.

● Ajoutez enfin le fromage et mélangez à nouveau intimement.
Prélevez des boulettes de pâte et rangez-les, bien espacées,
sur une tôle beurrée.

● Badigeonnez les gougères de jaune d'œuf et faites cuire au four
à 210 °C pendant 5 min puis poursuivez la cuisson pendant 20 min,
en entrouvrant la porte du four.

● Servez de préférence les gougères tièdes, mais non refroidies.

Salade de chicorée

Accompagnez la goyère
d'une salade de chicorée frisée
et d'endives effilées,
assaisonnée avec une
vinaigrette au vinaigre de cidre.

Goyère à l'oseille

Au moment de mélanger
le maroilles, les œufs et
le fromage frais, ajoutez
1 petite poignée de feuilles
d'oseille fraîche lavées,
essorées et ciselées.

Goyère aux poireaux

Avant d'ajouter la garniture
sur le fond de tarte, rangez-y
une douzaine de petits blancs
de poireaux fendus en deux
dans la longueur.

Salade d'épinards

Servez la goyère au maroilles
avec une salade de jeunes
feuilles d'épinards et de
languettes de jambon blanc,
assaisonnée d'une vinaigrette
au vinaigre de vin blanc.

GOYÈRE AU MAROILLES

Préparation : 40 min • Cuisson : 30 min • Pour 6 personnes

250 g de farine • 175 g de beurre • 300 g de maroilles
• 150 g de fromage frais bien égoutté • 2 gros œufs • sel et poivre

● Préparez une pâte brisée avec la farine, 125 g de beurre en parcelles, 2 pincées de sel et juste assez d'eau froide pour amalgamer la pâte.

● Abaissez-la et garnissez-en une tourtière de 26 cm de diamètre. Piquez le fond à l'aide d'une fourchette et réservez au frais.

● Écroûtez le maroilles et coupez-le en petits dés, mélangez-les avec le fromage frais et les œufs entiers battus en omelette.

● Salez modérément et poivrez. Versez ce mélange sur le fond de tarte et lissez le dessus à la spatule.

● Faites cuire la goyère au four à 210 °C pendant environ 20 min. Sortez-la du four et ajoutez le beurre restant coupé en petits dés par-dessus.

● Remettez la tarte au four et poursuivez la cuisson pendant 10 min environ. Servez très chaud.

Nord

Gratin savoyard

Faites cuire les rondelles de pommes de terre au bouillon de volaille et parsemez-les d'une bonne couche de fromage râpé en fin de cuisson.

Gratin provençal

Ajoutez des tomates, des aubergines et des courgettes en rondelles entre les pommes de terre. Remplacez la crème par du bouillon et saupoudrez de parmesan.

Gratin franc-comtois

Intercalez des lamelles de bleu de Gex entre les rondelles de pommes de terre et saupoudrez de 100 g de comté râpé en fin de cuisson.

Gratin tourangeau

Étalez un hachis d'échalotes et de champignons dans le fond du plat et intercalez des lamelles épaisses de champignons de couche entre les pommes de terre.

GRATIN DAUPHINOIS

Préparation : 20 min • Cuisson : 1 h • Pour 6 personnes

1 kg de pommes de terre bintje • 1 gousse d'ail • 80 g de beurre • noix muscade • 20 cl de lait • 20 cl de crème fraîche épaisse • sel et poivre

● Pelez, lavez et émincez les pommes de terre ; essuyez-les.

● Frottez un plat à gratin avec la gousse d'ail épluchée et beurrez-le avec 50 g de beurre.

● Rangez une couche de rondelles de pommes de terre dans le plat, salez, poivrez et muscadez.

● Arrosez avec un peu de lait puis remplissez le plat de couches successives de pommes de terre assaisonnées.

● Mélangez le lait restant avec la crème fraîche puis versez doucement ce mélange sur les pommes de terre.

● Ajoutez le beurre restant en parcelles et faites cuire au four à 180 °C pendant 1 h.

Gratinée au madère

Ajoutez 1 c. à s. de madère ou de porto aux oignons juste avant de verser le bouillon.

Gratinée des Halles

Pour réaliser la version parisienne de la gratinée, remplacez les tranches de pain séchées au four par des rondelles de baguette grillées ou légèrement rassies.

Soupe à l'oignon

Servez la soupe à l'oignon sans ajouter de pain, et ajoutez du fromage râpé au moment de servir.

Gratinée au bouillon de volaille

Remplacez le bouillon de bœuf par du bouillon de volaille pour une gratinée un peu moins corsée.

GRATINÉE À L'OIGNON

Préparation : 30 min • **Cuisson :** 1 h • **Pour 4 personnes**

800 g de gros oignons jaunes • 40 g de beurre • 10 g de sucre en poudre • 1,2 l de bouillon de bœuf corsé • 4 tranches de pain de campagne séchées au four • 125 g de comté râpé • sel et poivre

● Faites cuire les oignons pelés et émincés à couvert dans une casserole avec le beurre pendant 15 min.

● Poursuivez la cuisson à découvert en remuant pendant 30 min.

● Saupoudrez de sucre et laissez caraméliser légèrement pendant 2 min. Versez le bouillon et portez à ébullition. Salez et poivrez.

● Laissez frémir pendant 5 min. Répartissez la soupe dans des soupières individuelles en porcelaine à feu.

● Ajoutez le pain coupé en morceaux, saupoudrez de fromage râpé et faites gratiner au four à 200 °C pendant 5 min. Servez aussitôt.

Huîtres aux poireaux

Ajoutez quelques blancs de poireaux finement émincés dans la longueur dans les huîtres ouvertes en même temps que le beurre composé.

Huîtres au sabayon

Faites réduire 20 cl de court-bouillon et 20 cl de vin blanc de moitié puis incorporez ce mélange en fouettant à 4 jaunes d'œufs battus dans un bain-marie de 7 à 8 min. Répartissez sur les huîtres et passez 1 min sous le gril.

Huîtres au beurre de crevettes

Mélangez 80 g de beurre demi-sel en parcelles avec 60 g de queues de crevettes décortiquées, poivrez et ajoutez 2 pincées de paprika. Mixez et répartissez-en sur les huîtres.

Huîtres au beurre d'amandes

Mixez 40 g de beurre avec 50 g de poudre d'amandes, ajoutez 40 g de beurre et mixez à nouveau. Répartissez sur les huîtres.

HUÎTRES FARCIES

Préparation : 10 min • Cuisson : 5 min • Pour 2 personnes

3 échalotes • 1 petit bouquet de persil plat • 100 g de beurre
• 2 douzaines de grosses huîtres creuses • poivre blanc au moulin

● Amalgamez les échalotes pelées et finement émincées avec le persil haché mélangé au beurre ramolli.

● Poivrez à votre goût. Rangez les huîtres non ouvertes sur une plaque de four tapissée de papier d'aluminium froissé afin de bien les caler.

● Faites cuire au four à 240 °C et sortez la plaque dès que les huîtres s'ouvrent. Retirez le dessus de chaque coquille.

● Répartissez le beurre composé sur les huîtres et faites cuire au four pendant à peine 1 min, juste pour le faire fondre. Servez aussitôt.

Poitou-
Charentes

67

Mouclade au safran

Remplacez le curry par 1 dose de safran en poudre.

Clams au four

Réalisez la même recette en remplaçant les moules par des clams, voire par des praires ou des coques.

Mouclade aux crevettes

Ajoutez 150 g de petites crevettes roses cuites en petits morceaux dans la sauce à la crème et au curry.

Moules et pétoncles au four

Pour une version plus raffinée de la mouclade, utilisez moitié moules et moitié pétoncles (ces derniers doivent être totalement décoquillés).

MOUCLADE

Préparation : 30 min • Cuisson : 15 min • Pour 4 personnes

2 l de moules • 15 cl de vin blanc sec • 60 g de beurre • 4 échalotes • 25 cl de crème fraîche • 1 c. à s. de curry doux • 1 jaune d'œuf • sel et poivre

● Grattez, brossez et lavez les moules, jetez celles qui sont ouvertes ou cassées.

● Faites chauffer le vin blanc, le beurre et les échalotes pelées et émincées dans une grande cocotte pendant 10 min.

● Ajoutez les moules, couvrez et montez le feu. Dès que les moules s'ouvrent, retirez-les.

● Filtrez le jus de cuisson et faites-le réduire d'un tiers.

● Ôtez ½ coquille aux moules puis rangez-les dans un grand plat creux allant au four.

● Mélangez la crème, le curry et le jaune d'œuf, ajoutez le jus de cuisson des moules, assaisonnez et faites chauffer.

● Versez cette sauce sur les moules et faites-les cuire au four à 180 °C pendant 1 min. Servez aussitôt.

Poissons en meurette

Nappez de sauce meurette des tronçons de poissons blancs pochés et répartis dans des assiettes creuses (sans tranches de pain grillées).

Cervelle d'agneau en meurette

Pochez des cervelles d'agneau à l'eau vinaigrée et remplacez les tranches de pain par des petits croûtons aillés.

Blancs de volaille en meurette

Remplacez les œufs pochés et le pain par des blancs de volaille. Parsemez le tout de ciboulette ciselée.

Foies de volaille en meurette

Parez 400 g de foies de volaille (poulet ou canard) et saisissez-les rapidement à la poêle avec 50 g de beurre. Répartissez-les sur des tranches de pain grillées et nappez-les de sauce meurette.

ŒUFS EN MEURETTE

Préparation : 20 min • Cuisson : 35 min • Pour 4 personnes

150 g de lardons maigres de préférence non fumés • 50 g de beurre • 1 gousse d'ail • 2 petits oignons • 4 échalotes • 50 g de farine • 50 cl de vin rouge • 4 œufs • vinaigre • 4 tranches de pain de mie • sel et poivre

- Faites revenir les lardons dans une casserole avec le beurre en remuant sans arrêt.

- Pelez et émincez finement l'ail, les oignons et les échalotes puis ajoutez-les dans la casserole.

- Mélangez pendant 2 min, saupoudrez de farine et mélangez encore pendant 2 min.

- Versez doucement le vin puis fouettez aussitôt. Salez et poivrez.

- Laissez mijoter doucement pendant 25 min environ.

- Un quart d'heure avant la fin de la cuisson, faites pocher les œufs dans une grande casserole d'eau légèrement vinaigrée pendant 3 min. Égouttez-les et éliminez les filaments blancs.

- Déposez-les sur des tranches de pain de mie grillées placées dans des assiettes creuses, nappez de sauce meurette et servez immédiatement.

Sandwich landais

Remplacez les olives, les anchois et le basilic par des languettes de magret fumé et/ou séché, des câpres, des languettes de jambon cru et du persil.

Sandwich breton

Remplacez les olives, les anchois et le basilic par des crevettes décortiquées, des bulots et des moules cuits et décoquillés, liés avec une mayonnaise à la ciboulette.

Sandwich savoyard

Remplacez les tomates, les olives, les anchois et le basilic par de fines lamelles de viande des Grisons et de saucisson de porc et des languettes de jambon cuit.

Sandwich normand

Remplacez les tomates, les olives, les anchois et le basilic par des lamelles de pommes, du blanc de volaille cuit et émincé et quelques rondelles de boudin noir.

PAN BAGNAT

Préparation : 20 min • Cuisson : 10 min • Pour 4 personnes

2 œufs • 1 poivron • 2 tomates • 1 oignon doux • 24 olives noires • 12 filets d'anchois à l'huile • 1 gousse d'ail • 4 boules de pain de 12 cm de diamètre • huile d'olive • 8 feuilles de basilic

- Faites cuire les œufs dans une petite casserole d'eau bouillante pendant 10 min. Écalez-les et coupez-les en rondelles.

- Passez le poivron au four chaud, pelez-le, épépinez-le et taillez-le en lanières ; coupez les tomates en fines rondelles.

- Pelez et taillez l'oignon doux en rondelles, puis défaites-les en anneaux ; dénoyautez les olives noires et épongez les filets d'anchois. Pelez l'ail.

- Fendez les boules de pain en deux, sans séparer les moitiés ; retirez les deux tiers de la mie et frottez l'intérieur des pains avec l'ail.

- Humectez le pain d'huile d'olive.

- Garnissez chaque sandwich d'un mélange des différents ingrédients et du basilic ciselé en répartissant bien. Refermez les sandwiches.

PÂTÉ DE PÂQUES SOLOGNOT

Préparation : 35 min • **Cuisson :** 25 min • **Pour 4 personnes**

125 g de chair à saucisse • 100 g de noix de veau hachée • 1 oignon • 1 petit bouquet de persil plat • 5 œufs • 300 g de pâte feuilletée • 50 g de fromage de chèvre mi-affiné • huile • 1 jaune d'œuf • sel et poivre

- Mélangez la chair à saucisse, le veau, l'oignon pelé et haché, 4 c. à s. de persil ciselé et 1 œuf dans une terrine. Salez et poivrez.

- Faites cuire 4 œufs durs et écalez-les. Étalez la pâte feuilletée en rectangle sur 4 mm d'épaisseur.

- Émiettez le fromage sur la moitié de la pâte, repliez la pâte dessus et étalez au rouleau afin d'obtenir un rectangle allongé.

- Posez la farce façonnée en boudin sur une moitié du rectangle, enfoncez dedans les œufs durs coupés en deux, rabattez le reste de pâte et soudez les bords.

- Posez le pâté sur la tôle du four légèrement huilée, dorez-le au jaune d'œuf et faites cuire au four à 190 °C pendant 25 min. Servez tiède ou froid.

Le pâté de Ruffec

Garnissez une tourtière tapissée de pâte brisée de poulet et d'œufs durs hachés. Recouvrez de pâte et décorez de feuilles en pâte.

En couronne

Façonnez le pâté en forme de grosse couronne et incrustez les œufs durs sur le dessus en les gardant entiers.

Aux trois viandes

Préparez la farce du pâté en mélangeant 80 g de chair à saucisse, 100 g de blancs de poulet taillés en languettes et 80 g de veau haché. Remplacez le persil par de la ciboulette.

Aux fines herbes

Remplacez le bouquet de persil par un mélange d'estragon, de cerfeuil, d'oseille et de menthe, le tout finement ciselé.

Piperade aux œufs et au jambon cru

Versez 4 œufs battus en omelette dans la piperade. Mélangez et faites cuire doucement pendant 15 min. Faites chauffer 4 tranches de jambon dans une poêle et ajoutez-les dans les assiettes au moment de servir.

Soupe façon piperade

Mixez la piperade et servez-la en soupe froide parsemée de copeaux de jambon cru passés à la poêle.

Piperade au poulet

Servez la piperade garnie de fines escalopes de poulet bien aplaties et revenues à la poêle pendant 10 min avec 1 filet d'huile.

Piperade aux anchois

Ajoutez des anchois bien épongés à l'huile ou des anchois au vinaigre agrémentés d'une légère persillade à la piperade.

Préparation : 20 min • Cuisson : 1 h 30 • Pour 4 personnes

2 oignons • 3 c. à s. d'huile d'olive • 1 piment vert • 4 poivrons • 3 gousses d'ail • 6 tomates • piment d'Espelette • sel

- Faites revenir les oignons pelés et émincés à l'huile dans une grande poêle pendant 5 min.

- Ajoutez le piment, les poivrons épépinés et émincés, l'ail pelé et haché, mélangez et faites cuire pendant 5 min.

- Ajoutez les tomates concassées et laissez mijoter doucement pendant 1 h en remuant de temps en temps, salez et pimentez.

Aquitaine

Enrichissez la garniture de
la pissaladière en ajoutant
des lamelles de champignons
de couche et des petits dés
de mozzarella, disposés comme
les olives entre les croisillons
d'anchois.

Pissaladière à la basque

Ajoutez aux croisillons
d'anchois de fines languettes
de poivron rouge mariné et
remplacez les olives noires
par des olives vertes farcies
à l'anchois. Assaisonnez
au piment d'Espelette.

Pissaladière apéritive

Dès que la pissaladière est
cuite, découpez-la en petites
portions et servez-les froides
pour l'apéritif, garnies de
tomates cerises. Servez avec
des cubes de melon enveloppés
chacun de 1 languette
de jambon cru.

Pissaladière express

Utilisez de la pâte brisée
(ou de la pâte feuilletée achetée
toute prête) à la place
de la pâte à pain. Cette recette
est nettement plus rapide, mais
moins authentique.

PISSALADIÈRE

Préparation : 1 h • Repos : 1 h • Cuisson : 1 h 10 • Pour 6 personnes

700 g de pâte à pain (à commander chez le boulanger)
• 10 cl d'huile d'olive • 1 kg de gros oignons • 2 gousses d'ail
• 1 c. à s. de câpres • 1 feuille de laurier • 2 pincées de thym séché
• 30 filets d'anchois à l'huile • 30 petites olives noires • sel et poivre

● Aplatissez la pâte à pain avec la main sur le plan de travail
puis incorporez 2 c. à s. d'huile d'olive en la pétrissant.

● Laissez reposer la pâte pendant 1 h à température ambiante.

● Par ailleurs, pelez et émincez les oignons puis faites-les fondre
doucement dans un poêlon avec 3 c. à s. d'huile.

● Incorporez l'ail pelé et haché, les câpres rincées et bien égouttées,
le laurier et le thym en cours de cuisson.

● Laissez cuire doucement pendant environ 30 min.

● Étalez à la main la boule de pâte sur 1 cm d'épaisseur et garnissez-en
la tôle du four huilée. Répartissez-y la compote d'oignons
en une couche uniforme.

● Disposez les anchois égouttés en croisillons par-dessus et faites cuire
au four à 230 °C pendant 20 min, puis à 180 °C pendant 10 min.

● Placez les olives noires entre les croisillons puis remettez
la pissaladière au four pendant 5 min. Servez bien chaud.

Pithiviers de gibier

Remplacez les aiguillettes de canard par de fines lamelles de venaison (gigue de chevreuil) et le calvados par du genièvre. Ajoutez des baies de genièvre concassées dans la farce.

Pithiviers de volaille

Remplacez les aiguillettes de canard par des lamelles de blanc de dinde et de blanc de poulet et mettez un mélange de ciboulette et d'estragon à la place du persil plat.

Pithiviers de lapin

Remplacez les aiguillettes de canard par de la chair de lapin effilochée et ajoutez environ 100 g de noisettes grossièrement concassées dans la farce.

Pithiviers de poisson

Remplacez les aiguillettes de canard par de fines escalopes de saumon et des filets d'anguille. Ajoutez des feuilles d'oseille, des pousses d'épinard et de l'estragon au persil.

PITHIVIERS DE CANARD

Préparation : 30 min • **Cuisson :** 1 h • **Pour 4 personnes**

500 g de pâte feuilletée • huile • farine • 6 fines tranches de jambon à l'os • 400 g d'aiguillettes de canard • 1 c. à s. de calvados • 1 bouquet de persil plat • 100 g de chair à saucisse fine • 1 jaune d'œuf • sel et poivre

● Abaissez la moitié de la pâte feuilletée sur 4 mm d'épaisseur et découpez-y 4 disques de 14 cm de diamètre. Déposez-le sur la tôle du four huilée et légèrement farinée.

● Répartissez le jambon détaillé en languettes dessus en les faisant se chevaucher légèrement, mais sans aller jusqu'au bord.

● Mélangez les aiguillettes de canard, le calvados et le persil ciselé dans une terrine. Égouttez-les puis répartissez-les également sur les tranches de jambon.

● Étalez la chair à saucisse par-dessus en une couche régulière.

● Abaissez le reste de pâte feuilletée en 4 disques et refermez les pithiviers.

● Soudez les bords en les pinçant avec vos doigts mouillés. Dorez les couvercles au jaune d'œuf et piquez-les en plusieurs endroits.

● Faites cuire au four à 240 °C pendant 30 min, puis pendant encore 30 min à 200 °C. Servez les pithiviers tièdes ou refroidis.

Potage Germiny

Faites cuire 500 g de feuilles d'oseille avec 50 g de beurre et 1,2 l de bouillon pendant 15 min. Liez avec 4 jaunes d'œufs mélangés à 30 cl de crème fraîche.

Potage Freneuse

Remplacez les carottes et le riz par 400 g de petits navets, 1 grosse pomme de terre, 100 g de céleri-rave et 1 gros blanc de poireau. Mixez après cuisson et incorporez 4 c. à s. de crème fraîche.

Potage Clamart

Remplacez les carottes et le riz par 800 g de petits pois frais, 1 carotte en petits dés, 4 petits oignons blancs et quelques feuilles de laitue. Mixez après cuisson et incorporez 3 c. à s. de crème fraîche.

Potages froids

Vous pouvez servir ces quatre potages typiques de la cuisine d'Île-de-France, célèbre pour ses productions maraîchères, en amuse-gueule, froids, dans des petites verrines garnies de pluches de cerfeuil.

POTAGE CRÉCY

Préparation : 15 min • Cuisson : 50 min • Pour 4 personnes

1 oignon • 600 g de carottes • 100 g de beurre • sucre en poudre
• 1,2 l de bouillon de volaille • 80 g de riz à grains ronds • sel et poivre

● Réunissez l'oignon et les carottes pelés et émincés, la moitié du beurre et 1 pincée de sucre dans une casserole.

● Faites fondre en remuant puis laissez étuver à couvert pendant 10 min, en remuant de temps en temps.

● Versez le bouillon. Faites cuire à petits bouillonnements pendant 20 min.

● Salez et poivrez, ajoutez le riz, mélangez et poursuivez la cuisson pendant encore 20 min, puis passez le contenu de la casserole au moulin à légumes.

● Faites réchauffer doucement le potage en incorporant le beurre restant en parcelles. Rectifiez l'assaisonnement et servez chaud.

Île-de-France

Salade de chicorée frisée

Accompagnez le pounti d'une salade de chicorée frisée et de quelques feuilles de trévise avec une vinaigrette à l'huile d'arachide, l'huile de noix et au vinaigre blanc à l'estragon.

Salade de betterave

Accompagnez le pounti d'une salade de betteraves cuites, coupées en dés et de rondelles d'oignon blanc, le tout assaisonné d'une vinaigrette à l'huile de maïs et au vinaigre de cidre et de quelques cornichons.

Salade de mâche

Servez le pounti avec une salade de mâche et de pois gourmands cuits à la vapeur, le tout assaisonné d'une vinaigrette à l'huile de maïs, et au vinaigre de framboise et de quelques câpres.

Salade de pourpier

Servez le pounti avec une salade de pourpier et de pousses d'épinard, le tout assaisonné d'une vinaigrette à l'huile d'olive et au vinaigre de vin rouge et de quelques olives noires en rondelles.

POUNTI

Préparation : 30 min • Cuisson : 1 h • Pour 6 à 8 personnes

12 pruneaux • 4 c. à s. de vin rouge • 1 c. à s. de sucre en poudre • 250 g de jambon cuit ou de reste de rôti • 2 oignons • 250 g de lardons maigres • 300 g de feuilles de chou vert frisé • 4 c. à s. de fines herbes • 4 œufs • 50 g de farine • 20 cl de lait • 5 g de levure de boulanger • 50 g de beurre • sel et poivre

● Faites tremper les pruneaux dans le vin chaud et le sucre pendant la préparation du reste de la recette.

● Mettez la viande et les oignons pelés et hachés dans un saladier. Ajoutez les lardons, le chou haché et les fines herbes ciselées.

● Mélangez les œufs et la farine, puis incorporez le lait et la levure mélangés. Salez et poivrez. Ajoutez cette préparation à la farce.

● Beurrez un plat à gratin. Égouttez les pruneaux et dénoyautez-les.

● Versez la moitié de la farce dans le plat, ajoutez les pruneaux et recouvrez de la farce restante.

● Arrosez de beurre fondu et faites cuire au four à 180 °C de 50 min à 1 h jusqu'à ce que le pounti soit bien doré. Servez chaud ou tiède.

QUENELLES DE BROCHET

Préparation : 40 min • **Repos :** 1 h • **Cuisson :** 40 min • **Pour 6 personnes**

750 g de filets de brochet sans peau ni arêtes • 3 blancs d'œufs
• 60 cl de crème fraîche épaisse • 70 g de beurre • 50 g de farine
• 50 cl de lait • 8 cl de crème fleurette • 25 g de beurre d'écrevisse
• sel et poivre

- Rincez et épongez les filets de brochet. Mixez-les, salez, poivrez puis versez dans une jatte.

- Incorporez les blancs d'œufs un par un sans les fouetter et placez la jatte couverte au réfrigérateur pendant 1 h.

- Incorporez 20 cl de crème épaisse très froide, mixez à nouveau rapidement puis ajoutez la crème restante en plusieurs fois. Réservez au frais à couvert.

- Préparez une béchamel avec 50 g de beurre, la farine et le lait. Faites-la cuire pendant 12 minutes, puis incorporez la crème fleurette et le beurre d'écrevisse.

- Formez des portions régulières et allongées à l'aide de deux cuillères à soupe puis faites-les pocher doucement de 12 à 15 min dans une grande casserole d'eau frémissante.

- Versez la moitié de la sauce dans un plat à gratin beurré, rangez dessus les quenelles bien égouttées et recouvrez-les de la sauce restante.

- Faites gratiner au four à 180 °C pendant environ 12 min. Servez très chaud.

Quenelles de veau

Remplacez les filets de brochet par du veau haché. Servez les quenelles sur un lit d'épinards au beurre dans un plat à gratin, nappées de béchamel et légèrement gratinées au four.

Quenelles de foie

Remplacez les filets de brochet par un mélange de foie de veau et de foie de porc finement hachés. Faites gratiner les quenelles nappées de sauce Mornay (béchamel au fromage).

Quenelles à la sauce aurore

Remplacez la sauce par une sauce aurore : faites revenir 3 oignons au beurre avec du curry, mouillez de 30 cl de vin blanc et de 4 c. à s. de fumet de poisson. Après 20 min de cuisson, ajoutez 20 cl de crème fleurette et 1 pincée de curry.

Miniquenelles

Façonnez des miniquenelles, mélangez-les dans la sauce avec des lamelles de champignons revenues au beurre. Servez-les dans des croûtes feuilletées bien chaudes.

Rhône-Alpes

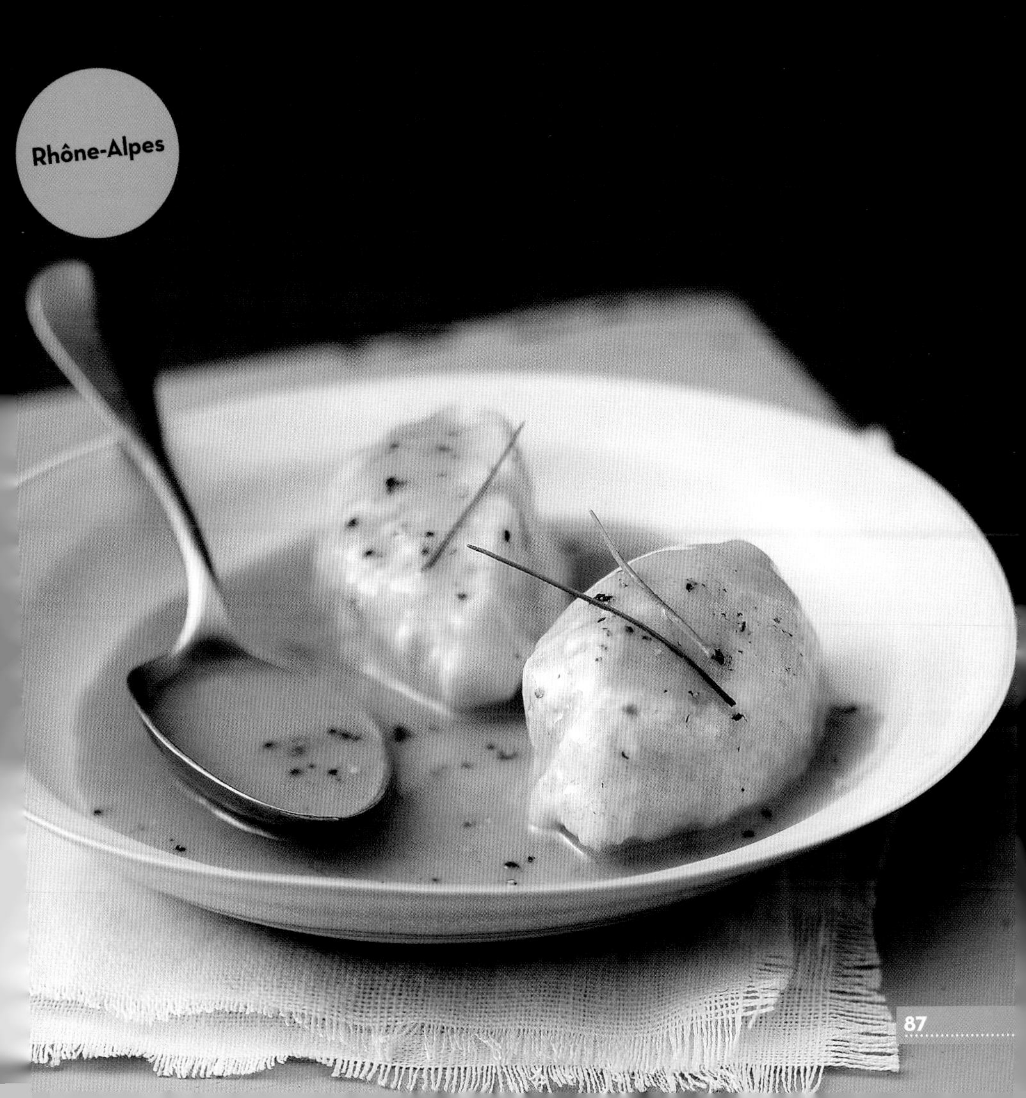

QUICHE LORRAINE

Préparation : 40 min • **Repos :** 1 h • **Cuisson :** 55 min • **Pour 6 personnes**

250 g de farine • 135 g de beurre • 5 œufs • 250 g de lard de poitrine demi-sel • 30 cl de crème fraîche épaisse • sel et poivre

- Préparez une pâte brisée avec la farine, 125 g de beurre, 1 œuf, 1 pincée de sel et un peu d'eau froide. Ramassez-la en boule et laissez-la reposer au frais pendant 1 h.

- Détaillez le lard en lardons et faites-les blanchir pendant 5 min, égouttez-les, épongez-les et faites-les rissoler légèrement à la poêle dans 10 g de beurre.

- Égouttez-les. Abaissez la pâte sur 5 mm d'épaisseur et garnissez-en le moule.

- Piquez le fond à l'aide d'une fourchette. Faites-le cuire à blanc recouvert de haricots secs pendant 12 min à 200 °C.

- Sortez le fond de tarte du four, retirez les haricots secs et étalez les lardons sur le fond.

- Battez les œufs restants en omelette avec la crème fraîche, salez et poivrez. Versez ce mélange sur les lardons et faites cuire au four à 200 °C pendant 30 min. Servez aussitôt.

Quiche savoyarde

Remplacez le lard de poitrine par des lamelles de jambon fumé et garnissez le fond de tarte de fines lamelles de beaufort (ou de comté pour une quiche jurassienne) avant d'ajouter les œufs et la crème.

Quiche à la grecque

Garnissez le fond de tarte d'un mélange de 250 g de feta en petits cubes, de 12 olives noires hachées, de 1 botte de menthe ciselée et de 2 c. à s. de ricotta avant d'ajouter les œufs et la crème.

Quiche provençale

Étalez sur le fond de tarte un mélange de 2 tomates pelées et concassées, de 150 g de tomates séchées en petits morceaux et de 6 petits cœurs d'artichauts, saupoudrez de thym avant d'ajouter les œufs et la crème.

Quiche tourangelle

Garnissez le fond de tarte de 250 g de rillettes ; recouvrez de 200 g de courgettes à peau fine coupées en rondelles avant d'ajouter les œufs et la crème.

Lorraine

Ratatouille froide

Servez la ratatouille froide, en entrée ou en amuse-gueule, dans des petites verrines, relevée de 1 jus de citron et agrémentée de fines languettes de jambon serrano.

Poisson farci à la ratatouille

Utilisez la ratatouille bien réduite pour farcir l'intérieur d'une daurade. Recousez le ventre du poisson et faites-le cuire au four sur un lit de tomates et de courgettes saupoudré de fleur de thym.

Légumes farcis à la ratatouille

Évidez des petites courgettes rondes, des tomates et des demi-aubergines dégorgées au sel et répartissez-y la ratatouille. Saupoudrez de parmesan et faites gratiner au four pendant 10 min.

Volaille farcie à la ratatouille

Répartissez la ratatouille bien réduite à l'intérieur de 4 pigeons vidés ; recouvrez de 1 fine barde de lard et faites rôtir au four pendant environ 30 min.

RATATOUILLE

Préparation : 30 min • **Cuisson :** 1 h 15 • **Pour 6 personnes**

500 g d'aubergines • 10 cl d'huile d'olive • 500 g de courgettes • 500 g de poivrons rouges, verts et jaunes • 3 oignons • 500 g de tomates • 1 bouquet garni • 3 gousses d'ail • sel et poivre

- Faites revenir les aubergines coupées en rondelles dans 2 c. à s. d'huile dans une poêle pendant 5 min en remuant. Salez et poivrez. Retirez-les de la poêle.

- Rajoutez un peu d'huile dans la poêle et ajoutez-y les courgettes coupées en rondelles mais non pelées.

- Faites-les revenir pendant 5 min en remuant, retirez-les puis procédez de la même façon avec les poivrons épépinés et taillés en grosses lanières. Faites-les revenir pendant 7 min.

- Faites revenir les oignons pelés et émincés dans une cocotte avec 2 c. à s. d'huile pendant 5 min sans coloration.

- Ajoutez les tomates ébouillantées, pelées et coupées en quartiers. Mélangez, puis ajoutez les aubergines, les courgettes et les poivrons.

- Faites chauffer en remuant, ajoutez le bouquet garni. Baissez le feu, couvrez et laissez mijoter pendant 30 min.

- Ajoutez l'ail pelé et pressé. Retirez le bouquet garni et poursuivez la cuisson pendant encore 15 min à feu doux.

Provence

RILLETTES DE PORC

Préparation : 30 min • **Cuisson :** 4 h • **Repos :** 2 h • **Pour 1 kg**

1,5 kg de morceaux de porc gras et maigres avec et sans os
• 2 clous de girofle • 10 grains de poivre noir • 3 brins de thym séché
• 2 feuilles de laurier • sel

- Séparez le gras du maigre dans les morceaux de porc, désossez-les. Concassez les os, taillez le maigre en lanières.

- Hachez le gras et mettez-le dans une grande cocotte, ajoutez les os, puis les lanières de maigre.

- Ajoutez les clous de girofle, les grains de poivre, le thym et le laurier réunis dans un nouet de mousseline et 1 c. à s. de sel.

- Couvrez et faites cuire doucement pendant 3 h 30.

- Retirez tous les os et poursuivez la cuisson pendant 30 min en remuant. Retirez le nouet et répartissez les rillettes dans des pots en grès ou en verre.

- Laissez refroidir complètement pendant 2 h, couvrez de papier sulfurisé et conservez les pots dans le réfrigérateur.

Rillettes de lapin

Remplacez le porc par un lapin : faites-le cuire en morceaux pendant 1 h environ. Égouttez-les, désossez-les et refaites-les cuire avec un peu de saindoux et de fines herbes jusqu'à l'obtention d'une consistance bien souple.

Rillettes d'oie

Remplacez le porc par du confit d'oie désossé en petits dés, mijoté pendant 20 min avec quelques cuillerées de graisse d'oie et 1 oignon émincé.

Rillettes basques

Remplacez le porc par du confit de canard désossé, mijoté avec de la graisse de canard et quelques pincées de piment d'Espelette.

Rillettes de saumon

Faites pocher 500 g de saumon frais pendant 10 min. Hachez-le au couteau puis malaxez-le avec 2 œufs durs et 200 g de saumon fumé hachés ainsi que 150 g de beurre ramolli. Salez et poivrez.

SALADE AU CROTTIN DE CHAVIGNOL

Préparation : 20 min • Cuisson : 15 min • Pour 4 personnes

80 g de beurre • 400 g d'asperges vertes • 4 crottins de Chavignol mi-affinés • farine • 2 c. à s. d'huile d'arachide • 100 g de salade mélangée • 1 betterave cuite • 1 bouquet de ciboulette • huile de noix • sel et poivre

- Faites chauffer 60 g de beurre dans une casserole, ajoutez les asperges parées et coupées en deux dans la longueur et 10 cl d'eau.

- Faites cuire pendant 10 min à découvert en remuant. Salez et poivrez. Égouttez et réservez.

- Coupez les fromages en deux dans l'épaisseur. Farinez-les très légèrement.

- Faites-les dorer pendant 2 min de chaque côté dans une poêle avec l'huile chauffée et le beurre restant.

- Égouttez les ½ fromages et répartissez-les sur des assiettes garnies de salade mélangée.

- Ajoutez les asperges vertes, la betterave pelée et coupée en lamelles et la ciboulette ciselée. Arrosez de 1 filet d'huile de noix et servez aussitôt.

Salade aux œufs de caille

Ajoutez des œufs de caille durs coupés en deux à la salade et remplacez la salade mélangée par de la chicorée frisée assaisonnée d'une vinaigrette à l'ail et à la ciboulette.

Salade aux poireaux

Ajoutez des petits poireaux « baguettes » (fins et tendres), cuits à la vapeur et assaisonnés avec 1 filet d'huile de noisette et de vinaigre de miel dans les assiettes.

Salade aux croûtes fromagées

Remplacez les ½ fromages poêlés par des rondelles de bûche de chèvre. Déposez-les sur des tranches de pain grillées.

Crottins au miel

Servez les ½ crottins sur un lit de mâche assaisonnée de vinaigrette. Arrosez-les avec 1 filet de miel liquide ; poivrez au moulin et servez aussitôt.

Salade aux haricots verts

Remplacez les salicornes par des haricots verts frais cuits à l'eau bouillante salée, mais restés fermes. Vous pouvez également remplacer les coques par des noix de pétoncles.

Salade à l'endive

Remplacez les tomates par des endives émincées légèrement citronnées et les échalotes par des rondelles d'oignon rouge. Ajoutez des petits dés de betterave.

Salade aux fèves

Ajoutez de très jeunes fèves vertes crues dans la salade au dernier moment, en même temps que les tomates et les salicornes.

Salade aux asperges vertes

Remplacez les salicornes par de très fines asperges vertes parées cuites à la poêle pendant 8 min avec un peu de beurre et 4 à 5 c. à s. d'eau (attendez que l'eau soit complètement évaporée avant de retirer du feu).

SALADE AUX SALICORNES

Préparation : 20 min • **Cuisson :** 8 min • **Pour 4 personnes**

2 l de coques • 400 g de salicornes fraîches • 2 échalotes grises • 3 tomates • 20 cl de vin blanc • 6 c. à s. d'huile • 3 c. à s. de vinaigre de vin blanc • poivre

● Lavez les coques à grande eau. Rincez les salicornes. Pelez et hachez les échalotes. Ébouillantez, pelez et concassez les tomates.

● Faites cuire les salicornes dans de l'eau bouillante non salée de 6 à 8 min. Égouttez-les, trempez-les dans de l'eau très froide afin qu'elles gardent leur couleur verte, égouttez-les à nouveau et réservez-les.

● Faites chauffer les coques et le vin blanc sur feu vif dans une grande casserole à couvert. Lorsque la vapeur commence à s'échapper, ôtez le couvercle, mélangez à l'aide d'une cuillère en bois et retirez du feu.

● Mélangez l'huile, le vinaigre, les échalotes et 2 pincées de poivre dans un bol et fouettez.

● Décoquillez les coques et mettez-les dans un saladier, ajoutez les tomates, puis les salicornes et arrosez de vinaigrette avant de servir.

Bretagne

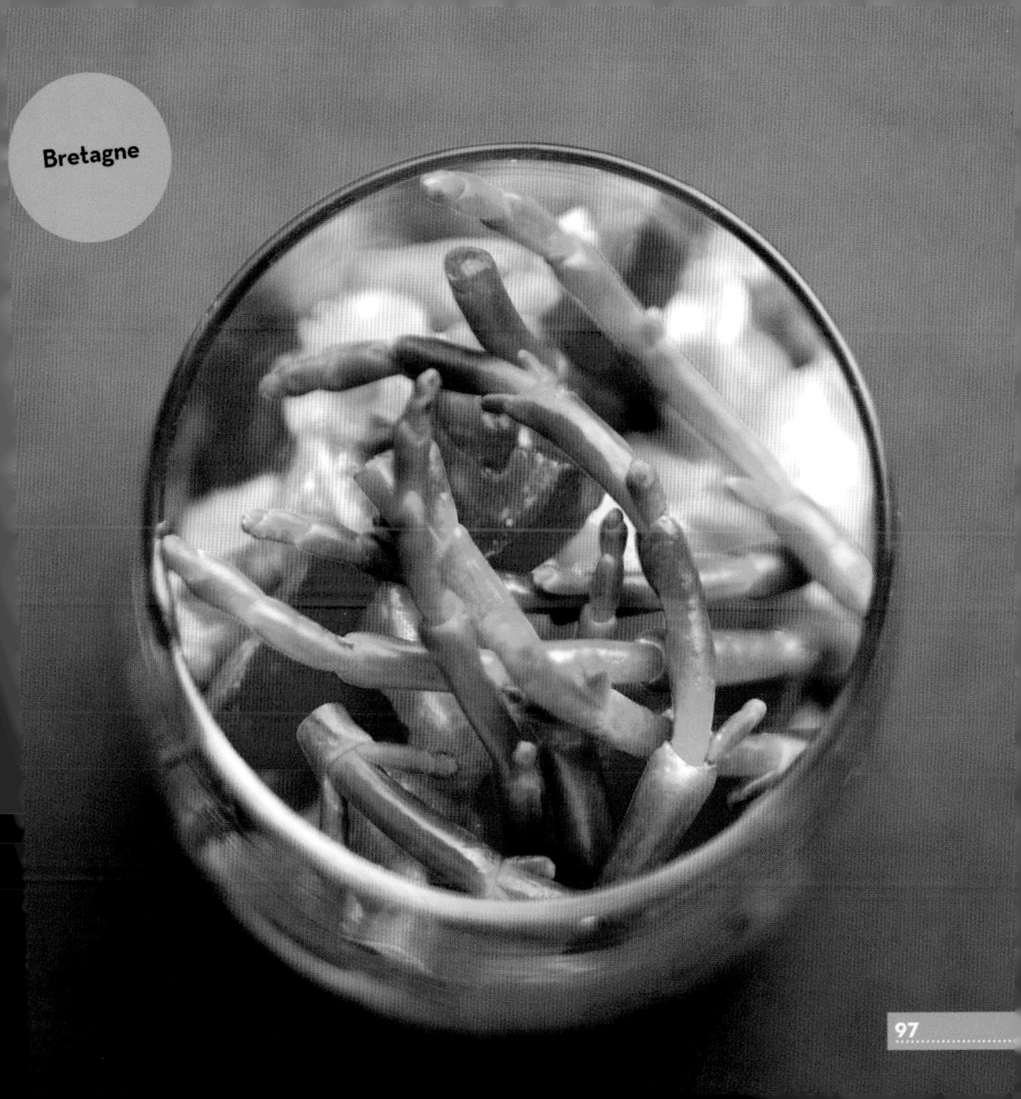

Salade auvergnate

Ajoutez quelques marrons cuits au naturel et grossièrement émiettés. Ajoutez 100 g de roquefort coupé en cubes dans la salade au dernier moment.

Salade basque

Complétez la salade avec des poivrons rouges rôtis au four pelés, taillés en lanières puis marinés à l'huile d'olive pendant 30 min et bien égouttés.

Salade tourangelle

Complétez la salade avec des lamelles de champignons de couche citronnées et marinées pendant 15 min dans un peu d'huile de noix avec 1 bouquet de ciboulette.

Salade savoyarde

Remplacez les croûtons par des rondelles de pommes de terre à chair ferme cuites à la vapeur et ajoutez des petits cubes de beaufort ou de gruyère dans la salade au dernier moment.

SALADE DE GÉSIERS

Préparation : 30 min • **Cuisson :** 10 min • **Pour 4 personnes**

10 gésiers confits • 2 œufs • 1 belle scarole • 3 c. à s. d'huile de maïs • 2 c. à s. d'huile de noix • vinaigre de vin rouge • 2 grandes tranches de pain de campagne • sel et poivre

● Placez le bocal de gésiers ouvert dans une casserole au bain-marie pour faire fondre la graisse de conservation. Retirez les gésiers et épongez-les.

● Taillez-les en deux ou trois. Réservez à température ambiante. Faites cuire les œufs durs, rafraîchissez-les et écalez-les.

● Effeuillez, lavez et essorez la salade. Préparez une vinaigrette avec l'huile de maïs, l'huile de noix et 1 c. à s. de vinaigre, salez et poivrez.

● Mettez la salade dans un saladier et assaisonnez-la. Réservez.

● Faites rissoler le pain coupé en petits dés dans un peu de la graisse des gésiers.

● Faites réchauffer les gésiers dans une poêle.

● Répartissez la salade sur les assiettes. Garnissez-la de croûtons, et de quartiers d'œufs durs.

● Ajoutez les gésiers au dernier moment. Déglacez la poêle avec 1 filet de vinaigre sur feu vif et arrosez les assiettes de ce jus. Servez aussitôt.

Préparation : 15 min • **Cuisson :** 25 min • **Pour 4 personnes**

600 g de pommes de terre charlotte • 1 c. à s. de vin blanc sec
• 1 c. à s. de vinaigre de vin blanc • 5 c. à s. d'huile d'arachide
• 8 filets de harengs fumés au feu de bois marinés à l'huile
• 4 brins de ciboulette • 1 oignon blanc • sel et poivre

● Lavez et brossez les pommes de terre. Faire-les cuire dans de l'eau bouillante salée de 20 à 25 min. Elles doivent rester légèrement fermes.

● Égouttez-les aussitôt et rafraîchissez-les afin de pouvoir les peler. Coupez-les en rondelles assez épaisses (ou coupez-les simplement en deux dans la longueur si elles sont petites.)

● Arrosez-les aussitôt avec le vin blanc, le vinaigre et l'huile d'arachide, salez et poivrez. Mélangez délicatement.

● Égouttez les filets de harengs, mais pas trop, et coupez-les en gros morceaux. Disposez-les dans des assiettes de service, garnissez de pommes de terre.

● Ajoutez la ciboulette ciselée et l'oignon pelé, coupé en rondelles et défait en anneaux. Décorez de sommités de fenouil si vous le désirez.

Salade de harengs à la betterave

Taillez les pommes de terre cuites en cubes et mélangez-les avec des petits dés de betterave. Ajoutez 1 c. à s. de moutarde douce à l'assaisonnement et remplacez la ciboulette par du persil.

Salade de harengs aux endives

Supprimez les pommes à l'huile et servez les harengs détaillés en fines languettes avec des endives effilées assaisonnées d'une vinaigrette au citron.

Sauce au curry

Remplacez la vinaigrette par un mélange de 12 cl de crème fleurette, de 1 c. à s. de curry doux et de quelques pincées de paprika et de poivre noir.

Sauce à la crème aigre

Mélangez 10 cl de crème fraîche épaisse avec le jus de 1 citron pour obtenir de la crème aigre. Ajoutez-y 4 cornichons émincés et nappez les harengs de cette sauce. Accompagnez de pommes vapeur nature.

Nord

Salade d'endives aux lardons

Détaillez 6 fines tranches de lard de poitrine maigre en languettes (ôtez la couenne et le cartilage) et faites-les rissoler à sec dans une poêle. Ajoutez-les dans la salade au dernier moment.

Salade d'endives aux moules

Faites ouvrir 1 l de moules de bouchot sur feu vif avec 1 verre de vin blanc sec. Ajoutez-les tièdes et décoquillées sur la salade.

Salade d'endives aux crevettes

Décortiquez 250 g de crevettes roses et saisissez-les dans une poêle avec 1 noix de beurre. Poivrez-les, égouttez-les et ajoutez-les au dernier moment sur la salade.

Salade d'endives à la betterave

Complétez la salade d'endives de rondelles de betteraves cuites et de quartiers d'oranges pelés à vif ou de lamelles de pommes citronnées.

SALADE D'ENDIVES

Préparation : 30 min • **Cuisson :** 20 min • **Pour 6 personnes**

400 g de petites pommes de terre à chair ferme • 400 g de petites endives bien fermes • 3 c. à s. de vinaigre de vin blanc • 4 c. à s. d'huile • 1 oignon • 1 bouquet de ciboulette • 100 g de cerneaux de noix • sel et poivre

● Faites cuire les pommes de terre avec leur peau dans de l'eau bouillante salée pendant 20 min.

● Parez et émincez les endives dans un saladier, arrosez-les de 1 c. à s. de vinaigre, salez et poivrez.

● Préparez une vinaigrette avec la moitié de l'huile, le vinaigre restant, du sel et du poivre, l'oignon pelé et émincé et la ciboulette ciselée.

● Mélangez les endives et les pommes de terre pelées et taillées en rondelles avec l'huile restante dans un saladier.

● Ajoutez la vinaigrette. Mélangez délicatement, ajoutez les cerneaux de noix et servez.

Salade de topinambours et de carottes

Incorporez 200 g de carottes râpées (ou détaillées en fines rondelles et cuites à la vapeur) à la salade. Remplacez l'huile de tournesol par un mélange d'huile d'arachide et d'huile de noisette.

Salade de topinambours aux poireaux

Faites cuire 2 gros blancs de poireaux à la vapeur pendant 12 min. Égouttez-les et effilochez-les puis ajoutez-les sur la salade en même temps que le persil.

Salade de topinambours à l'artichaut

Égouttez 4 cœurs d'artichauts au naturel. Détaillez-les en morceaux, mélangez-les avec 2 c. à s. d'huile de noix et ajoutez-les à la salade.

Salade de topinambours au jambon

Incorporez des languettes de jambon à l'os, de jambon fumé, de jambon de Bayonne ou de Parme dans la salade. Remplacez le vinaigre de vin blanc par du vinaigre de cidre.

SALADE DE TOPINAMBOURS

Préparation : 20 min • **Cuisson :** 30 min • **Pour 4 personnes**

800 g de petits topinambours nouveaux • 3 échalotes grises
• 5 c. à s. d'huile de tournesol • 2 c. à s. de vinaigre de vin
• 10 brins de persil plat • sel et poivre

● Lavez les topinambours en les brossant légèrement, puis faites-les cuire dans de l'eau bouillante salée en commençant à l'eau froide pendant 30 min.

● Égouttez-les et laissez-les tiédir. Pelez et émincez très finement les échalotes.

● Préparez une vinaigrette avec l'huile et le vinaigre, du sel et du poivre. Ciselez le persil.

● Égouttez les topinambours, pelez-les et coupez-les en rondelles dans un saladier, ajoutez les échalotes, mélangez puis versez la vinaigrette et mélangez à nouveau.

● Garnissez éventuellement de persil et servez.

Salade niçoise
aux pommes de terre

Pour faire de la salade niçoise un plat complet, ajoutez-y 8 petites pommes de terre à chair ferme cuites à la vapeur, arrosées de 1 filet d'huile d'olive alors qu'elles sont encore tièdes.

Salade niçoise
aux poivrons

Remplacez les haricots verts et le poivron vert par 1 poivron rouge, 1 poivron jaune et 2 poivrons verts, tous pelés, épépinés et taillés en languettes.

Croûtons à l'ail

Préparez des croûtons avec des petits carrés de pain de mie un peu rassis, grillés et frottés d'ail. Garnissez-en la salade niçoise.

Sauce citronnette

Remplacez la vinaigrette par une sauce au citron : remplacez le vinaigre par du jus de citron et le basilic par de la menthe et de l'estragon.

SALADE NIÇOISE

Préparation : 25 min • **Cuisson :** 10 min • **Pour 4 personnes**

2 gros œufs • 100 g de haricots verts extrafins • 1 petit concombre • 100 g de petites fèves fraîches (sans les gousses) • 1 poivron vert • 3 oignons nouveaux • 10 filets d'anchois à l'huile • 5 c. à s. d'huile d'olive • 2 c. à s. de vinaigre de vin blanc à l'estragon • 8 feuilles de basilic • 1 gousse d'ail • 4 tomates • 100 g de mesclun • 20 petites olives noires • sel et poivre

● Faites cuire les œufs durs, puis écalez-les. Pendant ce temps, faites cuire les haricots verts en veillant à ce qu'ils restent fermes et égouttez-les.

● Pelez et émincez le concombre, faites-le dégorger au sel pendant le reste de la préparation. Pelez les fèves si nécessaire.

● Taillez le poivron en lanières après en avoir éliminé les graines. Pelez et émincez les oignons.

● Égouttez et épongez les anchois.

● Préparez une vinaigrette avec l'huile d'olive et le vinaigre, ajoutez les feuilles de basilic ciselées, salez et poivrez.

● Pelez la gousse d'ail. Frottez d'ail l'intérieur d'un saladier en bois d'olivier.

● Ajoutez les tomates en quartiers, le concombre égoutté, les oignons, les fèves, les haricots verts, le mesclun et le poivron.

● Arrosez de vinaigrette et mélangez.

● Garnissez avec les œufs durs coupés en rondelles, les olives noires et les anchois recoupés en deux. Servez aussitôt.

SALADE PÉRIGOURDINE

Préparation : 30 min • Cuisson : 5 min • Pour 4 personnes

*1 cœur de chicorée frisée • 100 g de trévise rouge • 5 c. à s. d'huile
de maïs • 1 c. à s. de vinaigre de vin blanc • 1 échalote
• 12 gésiers confits • 20 fines tranches de magret de canard séché
et fumé • 4 fines tranches de jambon cru • 2 tomates • sel et poivre*

● Lavez et essorez le cœur de chicorée frisée et la trévise, mélangez-les.
Tenez-les au frais dans un torchon.

● Préparez une vinaigrette avec l'huile de maïs, le vinaigre, du sel
et du poivre, et l'échalote pelée et finement ciselée.

● Dégraissez les gésiers et mettez-les dans une poêle à feu doux
jusqu'à ce que toute la graisse soit fondue. Égouttez-les, épongez-les
et taillez-les en lamelles.

● Assaisonnez la salade et répartissez-la sur des assiettes de service
assez grandes, ajoutez les lamelles de gésier en alternant avec
les lamelles de magret.

● Ajoutez ensuite 1 tranche de jambon cru enroulée sur elle-même
et les tomates lavées et coupées en quartiers. Donnez un tour
de moulin à poivre et servez.

Samossas au fromage

Ajoutez 100 g de parmesan ou de gruyère râpé (ou un mélange des deux) à la farce, ainsi que quelques pincées de carvi ou de cumin finement pilé.

Samossas à la volaille

Remplacez le bœuf haché par la même proportion de blancs de poulet ou de dinde hachés. Remplacez le curcuma par du paprika, la menthe par du basilic et l'ail par de l'échalote.

Samossas aux crevettes

Remplacez le bœuf haché par la même proportion de queues de grosses crevettes et la menthe par du persil. Ajoutez quelques pincées de chili en poudre.

Samossas au poisson

Remplacez le bœuf haché par la même proportion de médaillons de lotte et de filets de saumon hachés. Mettez de l'aneth à la place de la menthe.

SAMOSSAS À LÀ VIANDE

Préparation : 1 h • Cuisson : 30 min • Pour 6 personnes

600 g de viande de bœuf hachée • huile • 1 c. à s. de curcuma
• 3 oignons • 2 gousses d'ail • 10 feuilles de menthe • 500 g de farine
• 40 g de beurre • poivre de Cayenne • huile de friture • sel fin

● Faites revenir la viande hachée dans une sauteuse avec 1 filet d'huile, le curcuma et 1 c. à c. de sel en remuant pendant 20 min.

● Ajoutez les oignons pelés et finement émincés, l'ail pelé et haché et la menthe ciselée. Mélangez pendant 10 min et ajoutez ½ c. à c. de poivre de Cayenne. Mélangez intimement et réservez.

● Versez la farine dans une terrine puis ajoutez 25 cl d'eau et ½ c. à c. de sel, pétrissez pendant 10 min puis ajoutez le beurre en parcelles et pétrissez pendant encore 15 min.

● Partagez la pâte en deux boules égales et abaissez-les en deux disques. Badigeonnez-les d'huile, puis superposez-les et abaissez le tout très finement en forme de rectangle.

● Découpez une douzaine de bandes de taille égale dans ce rectangle et faites-les cuire sur la tôle du four à 190 °C pendant 5 min.

● Sortez-les et ouvrez-les en deux puis façonnez chaque demi-bande en forme de triangle en repliant les bouts en cornet.

● Farcissez-les de viande et repliez-les, collez-les avec un peu d'eau et faites-les frire dans de l'huile très chaude jusqu'à ce qu'ils soient bien dorés.

La Réunion

SOUFFLÉ AU FROMAGE

Préparation : 5 min • **Cuisson :** 25 min • **Pour 4 personnes**

70 g de beurre • 50 g de farine • 25 cl de lait • 4 œufs • 120 g de comté râpé • sel et poivre

- Faites un roux blond avec 50 g de beurre et la farine dans une casserole à feu doux en remuant pendant 3 min.

- Hors du feu, versez le lait en fouettant puis faites cuire en remuant pendant 2 min. Salez légèrement et poivrez.

- Toujours hors du feu, incorporez les jaunes d'œufs, le fromage râpé et les blancs battus en neige très ferme avec 1 pincée de sel.

- Beurrez un moule à soufflé de 20 cm de diamètre et versez-y la pâte. Faites cuire au four à 190 °C pendant 20 min. Servez aussitôt.

Soufflé au roquefort et au céleri

Remplacez le comté râpé par du roquefort émietté et mettez 2 ou 3 pincées de sel de céleri à la place du sel.

Soufflé au camembert et à la pomme

Remplacez le comté râpé par la même proportion de camembert écroûté en petits cubes. Servez le soufflé accompagné d'une salade de pommes assaisonnée d'une vinaigrette au vinaigre de cidre.

Soufflé au gouda et au cumin

Remplacez le comté par du gouda écroûté et grossièrement râpé, additionné de 1 c. à s. de graines de cumin.

Soufflé au beaufort et aux noix

Remplacez le comté par du beaufort râpé et disposez des cerneaux de noix fraîches sur le soufflé au moment de servir.

Soupe albigeoise
aux pommes de terre

Ajoutez 2 pommes de terre
à chair ferme taillées en petits
dés, cuites à part dans
du bouillon de volaille,
et incorporées en même temps
que les jaunes d'œufs.

Soupe albigeoise
à la volaille

Garnissez la soupe de fines
lamelles de magret fumé
ou séché ou de foies de volaille
parés, coupés en deux ou trois
et sautés à la poêle sur feu vif
dans un peu de graisse
de canard.

Soupe albigeoise
aux cèpes

Taillez 2 ou 3 chapeaux de
cèpes en lamelles ; faites-les
frire rapidement à la poêle dans
un peu d'huile, égouttez-les
et garnissez-en la soupe.

Soupe albigeoise à l'oseille

Faites revenir 150 g de feuilles
d'oseille en même temps
que les carottes. Remplacez
le saindoux de la cuisson par
de l'huile d'olive.

SOUPE ALBIGEOISE

Préparation : 20 min • Cuisson : 30 min • Pour 4 personnes

600 g de carottes • 400 g de navets • 2 oignons • 2 tranches de jambon cru • saindoux • 2 gousses d'ail • 4 brins de persil • 2 jaunes d'œufs • vinaigre • sel et poivre

● Pelez et taillez les carottes et les navets en dés. Faites revenir dans une sauteuse les oignons pelés et hachés et le jambon taillé en dés dans 1 c. à s. de saindoux en remuant pendant 5 min.

● Ajoutez les carottes et les navets puis faites-les revenir pendant encore 10 min.

● Ajoutez l'ail pelé et haché et le persil ciselé, salez modérément et poivrez, versez doucement 1 verre d'eau, couvrez et laissez mijoter doucement pendant 15 min.

● Mélangez les jaunes d'œufs avec 1 filet de vinaigre dans un bol et versez sur les légumes, mélangez délicatement et servez chaud.

Conserve d'oseille

Faites fondre 1,5 kg de feuilles d'oseille avec 100 g de beurre dans une casserole sans coloration. Pressez cette chiffonnade pour en extraire le jus et tassez les feuilles dans un bocal. Stérilisez-le.

Crème d'oseille

Remplacez la graisse d'oie par du beurre. Mixez finement le mélange et ajoutez 4 c. à s. de crème fraîche pour obtenir une crème onctueuse, à servir avec des petits croûtons au parmesan.

Soupe oseille et épinard

Confectionnez la même recette en utilisant pour moitié des feuilles d'oseille et pour moitié des feuilles de jeunes épinards. Vous pouvez aussi remplacer les pommes de terre par des navets nouveaux.

Soupe à l'oseille nature

Supprimez les œufs durs de la recette et servez la soupe à l'oseille mixée, froide. Agrémentez-la de petites bouchées de thon à l'huile d'olive ou de languettes de saumon fumé (dans ce cas, ne salez pas trop).

SOUPE À L'OSEILLE

Préparation : 15 min • Cuisson : 30 min • Pour 4 personnes

250 g de feuilles d'oseille • 1 bouquet de cerfeuil • 8 pommes de terre • 15 g de graisse d'oie • 5 œufs • sel et poivre

- Équeutez, lavez et épongez les feuilles d'oseille, hachez-les grossièrement. Lavez, épongez et ciselez le cerfeuil.

- Pelez les pommes de terre et mettez-les à cuire dans une casserole remplie d'eau froide pendant 30 min.

- Pendant ce temps, faites chauffer la graisse d'oie dans une poêle, ajoutez l'oseille et laissez fondre en remuant pendant seulement quelques minutes.

- Ajoutez le cerfeuil, salez et poivrez puis mélangez. Faites cuire 4 œufs durs.

- Égouttez les pommes de terre et réduisez-les en purée. Réservez l'eau de cuisson.

- Remettez-les dans 1,2 l d'eau de cuisson des pommes de terre, ajoutez la fondue d'oseille au cerfeuil. Faites chauffer doucement.

- Cassez l'œuf et séparez le blanc du jaune. Faites cuire le blanc à l'eau bouillante et ajoutez-le dans la soupe en filaments.

- Liez hors du feu avec le jaune et servez très chaud avec les œufs durs coupés en deux.

SOUPE AU PISTOU

Préparation : 2 h • Repos : 12 h • Cuisson : 2 h 10 • Pour 8 personnes

500 g de haricots blancs secs • 1 bouquet garni • 2 carottes
• 2 navets • 250 g de haricots verts • 2 courgettes • 2 tomates
• 200 g de vermicelles fins • 4 gousses d'ail • 4 c. à s. de basilic frais ciselé
• 4 c. à s. d'huile d'olive • 50 g de parmesan râpé • sel et poivre

● Faites tremper les haricots blancs dans de l'eau froide pendant toute une nuit. Égouttez-les et mettez-les dans une marmite avec 2,5 l d'eau et le bouquet garni.

● Ajoutez les carottes et les navets pelés et coupés en dés. Laissez cuire doucement pendant 1 h 50 en salant à mi-cuisson.

● Ajoutez les haricots verts effilés et les courgettes en rondelles. Faites cuire pendant encore 10 min.

● Ajoutez les tomates ébouillantées, pelées et coupées en quartiers, ainsi que les vermicelles. Faites cuire pendant encore 10 min et retirez du feu.

● À la fin de la cuisson, pilez l'ail pelé avec le basilic puis incorporez l'huile et le parmesan à ce mélange en fouettant.

● Versez le contenu de la marmite dans une soupière en ajoutant le condiment au basilic. Poivrez et servez chaud.

Soupe au pistou au riz

Pour épaissir la soupe au pistou, vous pouvez remplacer les vermicelles par du riz de Camargue à grains longs, précuit de 5 à 7 min avant de l'incorporer dans le mélange.

Soupe au pistou aux macaronis

Le vermicelle est parfois jugé trop fin et il est traditionnel de le remplacer par des macaronis : prolongez alors la cuisson de quelques minutes pour qu'ils soient al dente.

Soupe au pistou aux petits pois

Ajoutez un bol de petits pois fraîchement écossés (ou, à défaut, surgelés) en même temps que les vermicelles. Prolongez la cuisson de 5 à 7 min.

Soupe au pistou aux févettes

Remplacez les haricots verts par de petites fèves fraîches ; ajoutez-les alors en même temps que les vermicelles car elles cuisent très rapidement.

Provence

SOUPE AUX POIREAUX

Préparation : 30 min • **Cuisson :** 1 h 30 • **Pour 4 personnes**

6 gros blancs de poireaux • 2 endives • 200 g d'oseille • 1 petit bouquet de cerfeuil • 700 g de pommes de terre • 50 g de beurre • sel et poivre

- Parez et émincez les blancs de poireaux, ainsi que les endives. Équeutez l'oseille. Lavez et essorez le cerfeuil.

- Hachez grossièrement les poireaux, les endives, l'oseille et le cerfeuil. Mettez ces ingrédients dans une marmite avec 1,5 l d'eau, salez et poivrez.

- Laissez cuire doucement à couvert pendant 1 h.

- Pelez les pommes de terre, lavez-les, coupez-les en quartiers et ajoutez-les dans la marmite. Poursuivez la cuisson sans ébullition pendant environ 30 min.

- Égouttez les pommes de terre et écrasez-les à la fourchette puis remettez-les dans la soupe et incorporez le beurre en parcelles.

- Passez la soupe au moulin à légumes jusqu'à l'obtention d'une consistance très fine.

- Rectifiez l'assaisonnement et servez chaud avec de fins filaments de blanc de poireau sur le dessus pour décorer.

Soupe aux poireaux et fromage

Incorporez 125 g de fromage frais aux fines herbes en fin de cuisson et garnissez le dessus de 100 g de cerneaux de noix grossièrement concassés et de 2 c. à s. de persil plat ciselé.

Soupe aux poireaux à la crème

Pour donner davantage d'onctuosité à la soupe, incorporez 4 c. à s. de crème fraîche épaisse ou 5 c. à s. de crème fleurette en fin de cuisson puis passez-la au moulin à légumes (et non au mixeur).

Soupe poireaux-carottes

Remplacez les pommes de terre par des carottes ou des panais et garnissez la soupe de fines rondelles d'endives, citronnées et poivrées au moment de servir.

Soupe poireaux-épinards

Remplacez les endives par des feuilles d'épinards ou de blettes et ajoutez 1 c. à c. de paprika doux et 1 ou 2 pincées de piment d'Espelette dans la soupe au dernier moment.

Picardie

Soupe au confit

Remplacez le lard frais par 1 ou 2 portions de confit. Faites-en fondre la graisse doucement à la poêle et faites réchauffer le confit dans la soupe pendant les dernières 20 min de cuisson.

Soupe au porc frais

Remplacez le lard frais par des tranches de rôti de porc cuit au four, débarrassées de la barde de lard et détaillées en gros cubes. Ajoutez-les dans la soupe pendant les dernières 20 min de cuisson.

Soupe bréjaude au poulet

Saisissez 6 blancs de poulet à la poêle dans un peu de graisse de canard en les retournant régulièrement pendant 15 min et déposez-les sur la soupe en plus du lard.

Soupe aux saucisses

Remplacez le lard par des saucisses de Francfort pochées dans une casserole d'eau bouillante (pendant 10 min sans ébullition) ou des saucisses de Morteau (pochées 20 min à l'eau frémissante) et coupées en rondelles.

SOUPE BRÉJAUDE

Préparation : 20 min • **Cuisson :** 1 h 10 • **Pour 6 personnes**

6 tranches de lard frais avec la couenne • 1 cœur de chou vert frisé • 3 carottes • 3 navets • 6 pommes de terre • 3 poireaux • 200 g de haricots verts • gros sel • 300 g de pain de seigle • poivre

● Faites pocher les tranches de lard avec la couenne dans une casserole pendant 20 min.

● Parez le chou et coupez-le en quartiers. Pelez, lavez et coupez en morceaux les carottes, les navets et les pommes de terre. Lavez et tronçonnez les blancs de poireaux, effilez les haricots verts.

● Égouttez les tranches de lard et mettez-les dans la marmite avec le chou, les carottes, les navets et les poireaux.

● Poivrez, ajoutez 1 c. à s. de gros sel et faites cuire doucement pendant 30 min.

● Ajoutez les pommes de terre et les haricots verts. Faites cuire pendant encore 20 min.

● Détaillez le pain de seigle en lamelles et mettez-les dans des assiettes creuses.

● Arrosez de bouillon puis ajoutez les légumes et les tranches de lard, avec un morceau de couenne. Poivrez et servez.

Limousin

Soupe betterave-carotte

Remplacez le céleri en branches par la même proportion de carottes ou de panais. Ne mixez pas la soupe, mais garnissez-la de pluches de cerfeuil et de persil mélangés.

Soupe de betterave au cresson

Remplacez les champignons par 1 botte de cresson triée, lavée et essorée. Mettez du fromage blanc à l'ail et aux fines herbes à la place de la crème fraîche.

Soupe de betterave aux endives

Remplacez les poireaux par des endives parées et émincées. Vous pouvez aussi remplacer le chou rouge par du chou blanc émincé et parfumer la soupe avec 1 c. à s. de graines de cumin concassées.

Soupe de betterave aux quenelles

Faites pocher des miniquenelles de foie ou de veau dans du bouillon et garnissez-en la soupe au dernier moment à la place de la crème fraîche.

SOUPE DE BETTERAVE

Préparation : 15 min • Cuisson : 1 h 15 • Pour 6 personnes

300 g de céleri en branches • 2 poireaux • 250 g de chou rouge • 200 g de champignons • 600 g de betteraves cuites • 400 g de bœuf à bouillir • 15 cl de crème fraîche • 1 c. à s. de jus de citron • sel et poivre

● Versez 2 l d'eau dans une marmite.

● Ajoutez le céleri effilé et tronçonné, les poireaux, le chou émincés et les champignons grossièrement hachés.

● Salez et poivrez. Portez à ébullition, écumez, puis couvrez et faites mijoter pendant 1 h 15.

● Environ 20 min avant la fin de la cuisson, ajoutez les betteraves pelées et taillées en petits dés ainsi que la viande dégraissée taillée en petits dés.

● Passez au mixeur, éventuellement en plusieurs fois. Mélangez la crème fraîche et le jus du citron pour obtenir de la crème aigre.

● Mélangez intimement, rectifiez l'assaisonnement et servez très chaud, en ajoutant 1 c. à s. de crème aigre dans chaque bol.

Préparation : 15 min • Cuisson : 10 min • Pour 4 personnes

2 bottes de cresson • 4 gousses d'ail • 2 c. à s. d'huile d'arachide
• 1,2 l de bouillon de volaille • 1 petit bouquet de ciboulette
• sel et poivre

● Lavez et triez le cresson, coupez les queues. Hachez grossièrement les feuilles. Pelez et émincez les gousses d'ail.

● Faites chauffer l'huile dans une cocotte et ajoutez l'ail. Faites-le revenir en remuant pendant 5 min sans le laisser roussir.

● Versez le bouillon et mélangez intimement, puis incorporez le cresson petit à petit.

● Laissez ensuite mijoter en remuant de temps en temps pendant 5 min, salez et poivrez. Mixez. Servez très chaud en parsemant le dessus de ciboulette ciselée.

Soupe d'épinards

Remplacez les bottes de cresson par 400 g de jeunes feuilles d'épinards et les gousses d'ail par des échalotes roses. Ajoutez 1 c. s. de fromage frais aux fines herbes dans chaque bol.

Soupe de cresson aux croûtons

Servez la soupe de cresson avec des croûtons de pain rissolés au beurre et tartinés de 1 fine couche de rillettes d'oie ou de canard ou bien garnis d'une fine lamelle de foie gras.

Brochettes de tomates et de mozzarella

Servez le potage mixé refroidi avec des petites brochettes de tomates cerises jaunes et rouges intercalées de petites boules de mozzarella badigeonnées d'huile au basilic.

Soupe cresson-poireau

Remplacez 1 botte de cresson par 150 g de jeunes blancs de poireaux. Incorporez la pulpe de 1 avocat citronné et réduit en purée fine à la soupe en toute fin de cuisson.

TARTELETTES AU CAMEMBERT

Préparation : 20 min • **Cuisson :** 25 min • **Pour 6 personnes**

250 g de pâte brisée • 1 camembert bien fait • 50 g de beurre • 4 œufs • sel et poivre

- Abaissez la pâte et garnissez-en 4 moules à tartelettes.

- Recouvrez-les de haricots secs et faites-les cuire à blanc au four à 200 °C pendant 12 min. Sortez-les et laissez refroidir.

- Écroûtez le camembert et taillez-le en tranches. Répartissez-les sur les fonds de tarte en ajoutant des parcelles de beurre.

- Cassez les œufs dans un bol et battez-les en omelette, salez peu et poivrez.

- Versez le mélange précédent sur le fromage et faites cuire au four à 250 °C pendant environ 10 min. Servez très chaud.

Tarte au camembert

Confectionnez une seule tarte et garnissez-la de pluches de cerfeuil frais et de copeaux de parmesan.

Tartelettes au camembert et aux fines herbes

Ajoutez 1 petit bouquet de ciboulette, quelques pluches de persil et une quinzaine de feuilles d'estragon ciselés aux œufs battus. Décorez avec de l'estragon frais.

Tartelettes au camembert et à la tomate

Ajoutez 2 tomates ébouillantées, pelées et concassées, mélangées avec 1 échalote émincée et 4 c. à s. de basilic ciselé sur la tartetelette une fois garnie.

Tartelettes au camembert et à l'oignon

Pelez et émincez 2 oignons jaunes. Faites-les fondre dans une casserole avec 10 g de beurre et versez ce mélange sur les fonds de tarte avant d'y ajouter les tranches de camembert.

Normandie

Remplacez les blancs de volaille par des filets de brochet sans peau ni arêtes, la chair à saucisse par des chapeaux de champignons de couche parés et coupés en petits morceaux et le persil par de l'estragon.

Remplacez les cuisses de poulet par des médaillons de lotte, les blancs de volaille par des filets de saumon, la noix de veau par des médaillons de langouste et la chair à saucisse par des filets de merlan hachés.

Remplacez le lard de poitrine par des rondelles de boudin noir et les blancs de volaille par de grosses lamelles de pommes à cuire citronnées et poêlées rapidement au beurre.

Remplacez les cuisses de poulet par du confit de canard et les blancs de volaille par des lamelles de magret fumé. Servez la tourte avec une salade de chicorée aux grains de maïs.

TOURTE LORRAINE

Préparation : 40 min • Cuisson : 35 min • Pour 6 personnes

400 g de pâte brisée • 2 cuisses de poulet désossées • 4 blancs de poulet • 200 g de noix de veau • 60 g de beurre • 150 g de chair à saucisse • 100 g de lard de poitrine maigre fumé • 2 œufs • 5 c. à s. de crème fraîche • 4 échalotes • 1 bouquet de persil plat • 1 jaune d'œuf • sel et poivre

● Garnissez une tourtière avec un peu plus de la moitié de la pâte étalée sur 4 mm d'épaisseur. Piquez le fond et réservez.

● Détaillez la chair de poulet en languettes et la noix de veau en fines tranches. Faites revenir les languettes de poulet et les tranches de veau dans une sauteuse avec 40 g de beurre en remuant pendant 5 min, salez et poivrez.

● Mélangez par ailleurs la chair à saucisse, le lard taillé en petits dés, les œufs battus, la crème fraîche, les échalotes hachées et le persil ciselé dans un saladier.

● Étalez la moitié de cette préparation sur le fond de tarte. Déposez dessus les tranches de veau et les languettes de poulet. Recouvrez de la farce restante, salez et poivrez.

● Abaissez le reste de pâte pour former un couvercle et mettez-le en place. Soudez les bords en les pinçant et dorez le dessus avec le jaune d'œuf.

● Placez une douille en cheminée au centre et faites cuire au four à 220 °C pendant 30 min. Servez chaud.

Lorraine

TRUFFADE

Préparation : 20 min • **Cuisson :** 25 min • **Pour 4 personnes**

1 kg de pommes de terre à chair ferme • 100 g de lardons
• 300 g de cantal jeune • sel et poivre

● Pelez les pommes de terre, lavez-les et coupez-les en rondelles régulières pas trop épaisses. Essuyez-les.

● Faites chauffer les lardons dans une grande poêle en les écrasant légèrement pour faire sortir le maximum de graisse. Égouttez-les et réservez. Taillez le fromage en fines lamelles.

● Faites sauter les pommes de terre dans la graisse des lardons, salez et poivrez. Couvrez et laissez cuire doucement pendant 15 min.

● Ajoutez alors la moitié des lamelles de fromage et mélangez à la spatule en brisant les rondelles de pommes de terre.

● Procédez de la même façon avec le fromage restant et les lardons, sur un feu assez vif, pour bien incorporer les ingrédients.

● Laissez alors cuire sans remuer pendant quelques minutes puis retournez la truffade sur un plat chaud et servez.

Truffade à la savoyarde

Remplacez le cantal jeune par un mélange de reblochon et de vacherin écroûtés et coupés en très petits dés.

Truffade à la normande

Remplacez le cantal par du camembert écroûté et les pommes de terre par du pain de seigle ou du pain de campagne au levain mouillé de lait et essoré.

Truffade à la basque

Remplacez le cantal par du fromage de brebis basque, peu affiné et émietté, et les pommes de terre par du pain au maïs en fines lamelles, légèrement toastées et taillées en dés.

Truffade à la poitevine

Remplacez le cantal par du fromage de chèvre mi-sec émietté et les pommes de terre par des tranches de pain brioché rassis, trempées dans du bouillon et bien essorées.

Auvergne

PLATS

Purée de pommes de terre et de céleri

Faites cuire 700 g de pommes de terre farineuses avec 100 g de céleri-rave puis mixez le tout avec 15 cl de lait, salez et poivrez.

Andouillettes frites

Au lieu de faire cuire les andouillettes au four, faites-les revenir à la poêle, à feu assez vif au début, pour les saisir puis à feu plus doux.

Andouillettes au vin blanc

Faites colorer les andouillettes au four puis posez-les dans un plat à gratin sur une fondue d'échalotes, arrosez de 15 cl de vin blanc. Faites cuire au four pendant 20 min.

Andouillettes froides

Une fois les andouillettes cuites et bien rissolées, faites-les refroidir entièrement. Servez-les coupées en rondelles et accompagnez-les d'une salade de pissenlit à l'échalote.

ANDOUILLETTES GRILLÉES

Préparation : 15 min • **Cuisson :** 35 min • **Pour 4 personnes**

700 g de petites pommes de terre à chair ferme • 4 andouillettes de Troyes • 1 c. à s. d'huile de maïs • persil plat • moutarde • sel et poivre

- Faites cuire les pommes de terre avec leur peau dans de l'eau salée pendant 20 min. Égouttez-les à fond et réservez.

- Piquez les andouillettes et rangez-les sur la grille du four. Faites-les cuire sous le gril du four en les retournant régulièrement pendant 12 min.

- Pendant ce temps, faites rissoler dans l'huile de maïs les petites pommes de terre avec leur peau. Salez et poivrez.

- Servez les andouillettes brûlantes avec les pommes de terre rissolées parsemées de persil et de la moutarde à part.

Anguilles aux croûtons

Servez les anguilles au vert directement dans la cocotte après avoir retiré le bouquet garni. Remplacez les tranches de pain par des petits croûtons aillés et grillés.

Le choix des herbes

Vous pouvez ajouter aux herbes des feuilles d'épinard ou de blette ; l'oseille est indispensable. Estragon, sauge et menthe peuvent laisser la place au trio cerfeuil, persil et menthe.

Lotte au vert

Remplacez l'anguille par des médaillons de queue de lotte légèrement farinés. Faites-les cuire de la même façon.

Veau au vert

Saisissez des petites escalopes de veau à la poêle pendant 3 min puis faites-les mijoter avec les herbes et le vin blanc pendant seulement 12 min.

ANGUILLES AU VERT

Préparation : 20 min • **Cuisson :** 25 min • **Pour 6 personnes**

1,5 kg de petites anguilles vidées et parées • 120 g de beurre
• 300 g d'oseille • 20 cl de vin blanc sec • 1 bouquet garni
• 1 bouquet de persil plat • estragon • sauge • menthe • 2 jaunes d'œufs
• le jus de 1 citron • 6 tranches de pain de mie • sel et poivre

● Coupez les anguilles lavées et épongées en tronçons. Faites-les sauter pendant 5 min dans une cocotte avec le beurre chaud, salez et poivrez.

● Ajoutez l'oseille ciselée, baissez le feu et laissez fondre le tout pendant 5 min.

● Ajoutez le vin blanc, le bouquet garni et 10 c. à s. du mélange du reste des herbes hachées. Laissez mijoter pendant 15 min.

● Mélangez les jaunes d'œufs et le jus du citron filtré dans un bol. Versez dans la cocotte et mélangez sans laisser bouillir. Retirez le bouquet garni.

● Déposez les tronçons d'anguille dans les assiettes de service où vous aurez placé une tranche de pain de mie grillée.

Nord

Axoa de bœuf

Remplacez le veau par 1 kg de filet de bœuf taillé en petits dés. Réduisez alors la cuisson à environ 30 min.

Axoa aux anchois

Remplacez la tranche de jambon de Bayonne par une douzaine de filets d'anchois à l'huile bien égouttés.

Axoa en hachis

Au lieu de tailler la viande en morceaux réguliers, hachez-la grossièrement ou détaillez-la en longues languettes minces.

Garniture

Épépinez et détaillez en lanières 4 ou 5 poivrons verts ; faites-les mariner dans 5 cl d'huile d'olive, salez et poivrez, puis faites-les mijoter pendant 25 min avant de les servir en garniture avec des pommes vapeur.

Préparation : 15 min • **Cuisson :** 1 h 15 • **Pour 4 personnes**

1 kg d'épaule de veau désossée • piment d'Espelette • 1 c. à s. d'huile d'olive • 1 tranche épaisse de jambon de Bayonne • 2 gousses d'ail • 2 oignons • 6 piment verts doux • 1 piment rouge • 1 gros poivron rouge • 1 bouquet garni

- Taillez la viande en tranches ou en morceaux réguliers et saupoudrez-les de piment d'Espelette.

- Faites chauffer l'huile dans une cocotte, ajoutez le jambon en petits dés, les gousses d'ail et les oignons pelés et hachés.

- Faites revenir pendant 5 min. Ajoutez les piments et le poivron émincés. Faites cuire en remuant pendant 8 min.

- Ajoutez les morceaux de viande et faites-les revenir en remuant puis ajoutez le bouquet garni et 1 verre d'eau bouillante.

- Laissez mijoter à feu doux pendant 1 h. Retirez le bouquet garni avant de servir.

Aquitaine

Blanquette de lotte

Remplacez la viande par des médaillons de lotte et réduisez la cuisson à seulement 40 min. Incorporez 1 c. à s. de moutarde douce à la sauce.

Blanquette de poissons

Remplacez la viande par un mélange de filets de poissons blancs (daurade, sole, etc.) et réduisez la cuisson à seulement 30 min.

Blanquette de volaille

Remplacez la viande de veau par des blancs de volaille taillés en gros morceaux. Liez la sauce avec 1 jaune d'œuf délayé dans 15 cl de crème fraîche.

Blanquette de légumes

Remplacez la viande de veau par des cardons pelés et coupés en morceaux ainsi que par des cubes de céleri-rave pelés et citronnés.

BLANQUETTE DE VEAU

Préparation : 10 min • **Cuisson :** 2 h 10 • **Pour 4 personnes**

16 petits oignons blancs • 50 g de beurre • 1,2 kg d'épaule de veau en morceaux • 50 g de farine • 1 bouquet garni • 2 clous de girofle • 2 gousses d'ail • 1 grosse carotte • 200 g de champignons de couche • 1 c. à s. de jus de citron • sel et poivre

- Faites dorer doucement les petits oignons pelés avec le beurre dans une cocotte en les retournant régulièrement pendant 5 min.

- Repoussez-les sur les côtés et ajoutez les morceaux de viande. Faites-les revenir jusqu'à ce qu'ils soient bien dorés puis retirez le tout.

- Ajoutez la farine et remuez jusqu'à l'obtention d'un roux brun.

- Versez 1 grand verre d'eau et délayez, ajoutez le bouquet garni, les clous de girofle et les gousses d'ail pelées et fendues en deux, salez et poivrez.

- Remettez les morceaux de viande et les petits oignons. Ajoutez la carotte pelée et coupée en rondelles. Couvrez et baissez le feu. Laissez mijoter pendant 2 h.

- Environ 30 min avant la fin de la cuisson, ajoutez les champignons émincés et citronnés. Retirez le bouquet garni et les clous de girofle avant de servir.

Bœuf bourguignon corsé

Pour accentuer la saveur de ce plat, faites mariner au préalable les morceaux de viande dans le vin rouge de la cuisson et les aromates.

Bœuf bourguignon au jambon fumé

Remplacez les lardons maigres non fumés par 200 g de jambon fumé, découenné et coupé en languettes assez épaisses. Réduisez l'assaisonnement en sel.

Bourguignon aux cèpes

Servez le bœuf bourguignon avec 800 g de petits cèpes nettoyés, sautés dans 50 g de beurre et 2 c. à s. d'huile de maïs ; ajoutez 2 échalotes pelées et émincées et laissez mijoter pendant 25 min.

Garniture

Faites cuire dans de l'eau pendant 30 min 4 pommes de terre farineuses et 200 g de céleri-rave pelé, coupé en morceaux ; égouttez-les et réduisez-les en purée avec 50 g de beurre, salez et poivrez.

BŒUF BOURGUIGNON

Préparation : 15 min • Cuisson : 2 h • Pour 4 personnes

2 gros oignons • 150 g de lardons maigres non fumés • 40 g de beurre • 1 c. à s. d'huile • 1 kg de gîte de bœuf • 1 bouteille de bourgogne rouge assez corsé • 1 gousse d'ail • 3 carottes • 1 bouquet garni riche en thym • 250 g de petits champignons de couche • 1 c. à s. de concentré de tomates • sel et poivre

- Faites dorer les oignons pelés et émincés et les lardons dans une cocotte avec 20 g de beurre et 1 filet d'huile.

- Retirez-les et faites saisir la viande coupée en morceaux dans la cocotte.

- Remettez les lardons et les oignons, salez et poivrez, ajoutez le vin.

- Ajoutez l'ail pelé et pressé, les carottes pelées et émincées et le bouquet garni.

- Couvrez et faites mijoter doucement pendant 2 h.

- Faites revenir les champignons émincés dans le beurre restant, salez et poivrez, ajoutez le concentré de tomates et mélangez.

- Ajoutez les champignons en sauce dans la cocotte 10 min avant la fin de la cuisson. Retirez le bouquet garni avant de servir.

BŒUF MIROTON

Préparation : 15 min • **Cuisson :** 40 min • **Pour 4 personnes**

4 gros oignons jaunes • 25 g de beurre • 2 c. à s. d'huile de maïs
• 20 g de farine • 20 cl de bouillon de bœuf • 3 c. à s. de vinaigre
de vin blanc • 600 g de bœuf bouilli dégraissé • 150 g de chapelure
• sel et poivre

● Faites revenir les oignons pelés et émincés dans une casserole avec le beurre fondu et l'huile.

● Remuez pendant 5 min. Saupoudrez de farine, mélangez, faites cuire pendant 2 min puis versez le bouillon et 2 c. à s. de vinaigre, salez et poivrez.

● Laissez mijoter en remuant de temps en temps pendant 20 min.

● Découpez le bœuf bouilli en tranches régulières et enfouissez-les dans la compotée d'oignons.

● Couvrez et faites chauffer doucement pendant 10 min.

● Ajoutez 1 c. à s. de vinaigre. Faites mijoter pendant 2 min, salez et poivrez.

● Saupoudrez de chapelure et faites gratiner au four jusqu'à ce que la coloration soit belle. Servez très chaud.

Sans chapelure

Le miroton se cuisine aussi sans chapelure gratinée ; ajoutez en fin de cuisson quelques cornichons finement émincés en même temps que le vinaigre.

Un gratin bien relevé

Pour relever le miroton, mélangez la chapelure du gratin final avec 2 c. à s. de cerneaux de noix finement pilés, 1 c. à s. de paprika et 1 c. à s. de persil plat finement ciselé.

Restes façon miroton

Remplacez le bœuf par des restes de rôti de porc ou de veau, voire par des blancs de volaille. Surveillez la cuisson pour que la préparation ne dessèche pas trop.

Bouilli de bœuf

Le miroton est la recette typique qui utilise des restes de bouilli (pot-au-feu), mais vous pouvez aussi en faire des boulettes de viande hachée, mijotées dans de la sauce tomate.

Pilez 1 petit piment rouge et 1 gousse d'ail avec 1 filet d'huile d'olive puis ajoutez 1 grosse pomme de terre cuite et pelée. Pilez finement le tout en ajoutant 25 cl de bouillon de cuisson, salez et poivrez.

Bouillabaisse de sardines

Préparez le bouillon comme dans la recette et ajoutez-y 6 pommes de terre pelées en rondelles. Faites cuire pendant 25 min. Ajoutez ensuite 12 sardines vidées et poursuivez la cuisson pendant 8 min.

Bouillabaisse « riche »

Utilisez pour confectionner la bouillabaisse 1,2 kg de poissons mélangés, mais complétez l'assortiment avec 2 cigales de mer et 1 queue de langouste, ajoutées dans le bouillon, en même temps que le saint-pierre.

Bouillabaisse verte

Ajoutez en même temps que les tomates et le fenouil dans la marmite, 250 g de feuilles d'épinard et 200 g de feuilles d'oseille lavées et équeutées.

BOUILLABAISSE

Préparation : 1 h • **Cuisson :** 35 min • **Pour 6 personnes**

2 kg de poissons variés entiers (rascasse, saint-pierre, lotte, daurade, grondin, merlan, congre) • 3 gousses d'ail • 2 oignons • 12 cl d'huile d'olive • 2 branches de céleri • 2 poireaux • 1 bulbe de fenouil • 1 tronçon d'écorce d'orange séché • 3 tomates • 1 bouquet garni • 1 mesure de safran • 1 bol de sauce rouille • croûtons de pain • sel et poivre

- Écaillez, videz et étêtez les poissons, coupez-les en tronçons.

- Faites revenir 1 gousse d'ail et 1 oignon, pelés et hachés dans une marmite avec 10 cl d'huile. Salez et poivrez.

- Ajoutez les branches de céleri hachées, les poireaux tronçonnés, les têtes et parures de poissons. Couvrez d'eau et faites bouillonner pendant 20 min.

- Passez le contenu de la marmite au tamis en pressant bien.

- Faites revenir le fenouil émincé, 1 oignon pelé et émincé et 2 gousses d'ail pelées et hachées dans une grande marmite avec un peu d'huile.

- Versez le bouillon tamisé, ajoutez l'écorce d'orange, les tomates en quartiers et le bouquet garni.

- Faites bouillir. Ajoutez la rascasse, le grondin, la lotte, le congre et la daurade.

- Ajoutez le safran et laissez bouillir sur feu vif pendant 8 min. Ajoutez le saint-pierre et le merlan. Faites cuire vivement pendant encore 6 min.

- Servez en même temps la rouille et des petits croûtons de pain.

Provence

BOURRIDE SÉTOISE

Préparation : 30 min • **Cuisson :** 35 min • **Pour 6 personnes**

2 oignons • 12 gousses d'ail • 1 brin de thym • 1 dose de safran
• 1 orange • 50 cl d'huile d'olive • 25 cl de vin blanc sec
• 2 jaunes d'œufs • ½ citron • 1,5 kg de lotte • sel et poivre

● Réunissez les oignons pelés et émincés et 5 gousses d'ail pelées et pressées, le thym, le safran et le zeste de l'orange dans un faitout.

● Salez et poivrez, versez 10 cl d'huile, le vin blanc et 1,5 l d'eau. Faites bouillonner pendant 20 min.

● Pour préparer l'aïoli, pilez les gousses d'ail restantes dans un mortier, ajoutez les jaunes d'œufs, salez et poivrez.

● Incorporez l'huile restante en filet en fouettant sans arrêt. Terminez par quelques gouttes de jus de citron et réservez au frais.

● Ajoutez la lotte coupée en morceaux dans le bouillon et laissez cuire pendant 15 min, puis égouttez le poisson dans un plat et passez le bouillon.

● Faites-le bouillir à nouveau et liez-le avec 4 c. à s. d'aïoli. Servez le bouillon dans une soupière, les morceaux de lotte dans un plat chaud et l'aïoli en saucière.

Brochet aux petits oignons

Faites poêler des filets de brochet avec la peau pendant 5 min de chaque côté. Accompagnez-les de 500 g de petits oignons grelots cuits dans 80 g de beurre et glacés avec 1 c. à s. de sucre.

Brochet au vinaigre

Poêlez de petits brochetons étêtés, vidés et farinés dans du beurre et agrémentez-les d'oignons émincés. Déglacez avec du vinaigre de vin blanc à l'estragon.

Brochet au beurre d'herbes

Incisez la peau d'un brochet entier, vidé, et glissez un beurre d'herbes au persil et à l'estragon dans les fentes. Faites-le cuire au four pendant 30 min sur un lit d'échalotes hachées.

Brochet au vin blanc

Coupez le brochet en tranches épaisses. Faites-les poêler de 5 à 6 min de chaque côté avec du beurre. Faites revenir 4 échalotes dans 25 cl de muscadet, liez cette sauce au beurre et nappez-en les tranches de brochet.

BROCHET AU BEURRE BLANC

Préparation : 30 min • **Cuisson :** 45 min • **Pour 6 personnes**

4 carottes • 4 oignons • 1 branche de céleri • 1 bouquet garni • 1 c. à s. de gros sel • 1 c. à c. de poivre concassé • 1 bouteille de vin blanc sec • 1 brochet de 1,5 kg • 8 échalotes grises • 10 cl de vinaigre de vin blanc • 250 g de beurre • sel fin et poivre blanc

● Préparez un court-bouillon avec 2 carottes, 2 oignons et le céleri émincés, le bouquet garni, le gros sel et le poivre concassé, 50 cl de vin blanc et 50 cl d'eau.

● Faites bouillir pendant 20 min puis laissez refroidir.

● Mettez le poisson vidé et lavé dans une poissonnière, versez le court-bouillon froid dessus et portez à la limite de l'ébullition. Ajoutez les carottes restantes pelées, coupées en rondelles et les oignons restant pelés et émincés puis laissez frémir pendant 20 min.

● Faites cuire les échalotes pelées et finement émincées dans le vinaigre et 10 cl de vin blanc pendant 15 min, filtrez en pressant bien.

● Remettez le liquide sur le feu et incorporez le beurre froid en parcelles en fouettant jusqu'à l'obtention d'une consistance crémeuse. Salez et poivrez.

● Égouttez le brochet et posez-le dans un plat chaud, retirez la peau. Servez le beurre blanc à part en saucière tiède.

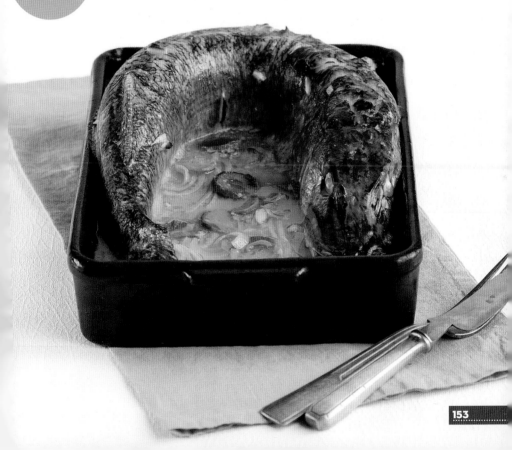

Canard aux navets

Faites cuire le canard au beurre dans une cocotte, arrosez-le de vin blanc et entourez-le de 800 g de petits navets et de 300 g de petits oignons blanchis. La cuisson totale est de environ 1 h.

Canard aux petits pois

Faites colorer le canard au beurre en cocotte puis faites-le mijoter avec 200 g de petits lardons et 12 petits oignons. Ajoutez 1 kg de petits pois écossés en cours de cuisson (50 min en tout).

Canard aux pommes

Faites flamber le canard au cognac puis faites-le rôtir à 220 °C pendant 40 min, garni de pommes en quartiers sautées au beurre. Liez le jus de cuisson avec de la crème fraîche.

Canard braisé au vin rouge

Coupez le canard en morceaux, et faites-le mariner au vin rouge additionné d'un trait de cognac. Faites rissoler les morceaux épongés à l'huile avec des lardons puis faites mijoter avec la marinade filtrée pendant 1 h 15. Ajoutez enfin des petits champignons.

CANARD À L'ANGEVINE

Préparation : 25 min • **Cuisson :** 1 h • **Pour 6 personnes**

1 canard de 2 kg environ • 70 g de beurre • 20 cl de Cointreau®
• 6 poires à cuire • 1 citron • 95 g de sucre en poudre • 1 orange
• 1 c. à s. de vinaigre de xérès • 10 cl de cognac • sel et poivre

● Posez le canard salé et poivré dans un plat à rôtir où vous aurez fait fondre le beurre.

● Faites-le cuire au four à 160 °C pendant 45 min. Arrosez-le avec 10 cl de Cointreau® et faites cuire pendant encore 5 min.

● Égouttez le canard et tenez-le au chaud. Filtrez le jus de cuisson dans une casserole.

● Pendant la cuisson du canard, pelez les poires et faites-les cuire entières dans une casserole avec de l'eau citronnée et additionnée de 50 g de sucre.

● Faites chauffer le jus de cuisson du canard avec le jus de l'orange (après avoir prélevé son zeste), le sucre restant, le vinaigre, le cognac et le Cointreau® restant.

● Faites cuire en remuant pendant 5 min, passez au chinois et rectifiez l'assaisonnement.

● Servez le canard nappé de sauce, décoré de zeste d'orange et entouré de poires cuites.

Canard express

Coupez le canard en morceaux avant la cuisson. Réalisez la même recette, mais le temps de cuisson se trouve ainsi réduit à 30 min en tout.

Canard aux pommes et au cidre

Remplacez les navets nouveaux par des quartiers de pommes acides (ils n'ont pas besoin d'être blanchis). Remplacez également le vin blanc sec par du cidre brut.

Canard aux lardons et aux petits pois

Faites revenir 2 oignons émincés et 150 g de petits lardons au beurre. Ajoutez 800 g de petits pois écossés. Faites cuire pendant 25 min et entourez le canard, rôti à part, de cette garniture.

Canard aux poires et au vin rouge

Remplacez les navets et les petits oignons par des ½ poires pelées et citronnées, pochées dans du vin rouge. Faites braiser le canard en cocotte et ajoutez le vin rouge comme mouillement.

CANARD AUX NAVETS

Préparation : 20 min • **Cuisson :** 1 h • **Pour 4 personnes**

1 canard de 1,3 kg • 80 g de beurre • 1 c. à s. d'huile de maïs
• 20 cl de vin blanc sec • 1 botte de petits oignons nouveaux
• 1 kg de petits navets nouveaux • sel et poivre

- Faites revenir le canard vidé, salé et poivré sur toutes les faces dans une grande cocotte avec 25 g de beurre et l'huile. Quand il est bien doré, retirez-le et videz la graisse de cuisson.

- Remettez le canard dans la cocotte et arrosez-le de vin blanc. Laissez cuire doucement à couvert pendant 30 min.

- Par ailleurs, faites blanchir les petits oignons et les navets pelés à l'eau bouillante pendant 2 min.

- Égouttez-les et ajoutez-les dans la cocotte autour du canard, salez et poivrez. Poursuivez la cuisson pendant 20 min.

- Égouttez le canard et sa garniture et placez-les sur un plat de cuisson.

- Faites réduire le jus de cuisson puis liez-le en incorporant le beurre restant en parcelles en fouettant. Servez le jus en saucière.

Carbonade à la bière brune et aux abricots

Remplacez la bière blonde par de la bière brune et ajoutez 300 g d'abricots séchés coupés en deux durant la dernière heure de cuisson. Remplacez les oignons jaunes par des oignons doux.

Carbonade plus relevée

Remplacez la moutarde douce par de la moutarde de Dijon puis incorporez en fin de cuisson 3 c. à s. de câpres au sel, bien rincées et égouttées.

Carbonade aux fruits secs

Ajoutez une douzaine de pruneaux dénoyautés et 100 g de gros raisins secs de Corinthe dans la cocotte en même temps que les oignons.

Carbonade à la cramique

Remplacez les tranches de pain d'épice par des tranches de cramique (voir p. 300) rassies et coupées en dés.

Préparation : 25 min • **Cuisson :** 3 h 30 • **Pour 8 personnes**

2 kg de paleron de bœuf • 50 g de saindoux • 4 gros oignons jaunes • sucre en poudre • 20 g de vergeoise• 1 c. à s. de vinaigre de vin blanc • 1 bouquet garni • 60 cl de bière blonde • 4 fines tranches de pain d'épice • 2 c. à s. de moutarde douce • sel et poivre

- Saisissez la viande taillée en fines tranches dans une cocotte avec la moitié du saindoux. Égouttez-les, dégraissez la cocotte.

- Faites blondir les oignons pelés et émincés dans le saindoux restant en remuant pendant 10 min.

- Saupoudrez de sucre, poudrez de vergeoise, ajoutez le vinaigre, salez et poivrez. Égouttez les oignons avec leur jus.

- Remplissez la cocotte en alternant la viande et les oignons, versez le jus, ajoutez le bouquet garni et la bière puis les tranches de pain d'épice tartinées de moutarde.

- Couvrez et faites cuire au four à 145 °C pendant 3 h. Retirez le bouquet garni et servez de préférence dans la cocotte.

Cari de poisson

Remplacez la viande de porc par des tronçons de capitaine ou de vivaneau. Ajoutez le jus de 1 citron vert et 2 petits piments hachés. Faites cuire pendant 30 min.

Cari de langouste

Remplacez le porc par des demi-queues de langouste. Ajoutez 1 c. à s. de gingembre en poudre et 2 tomates concassées. Faites cuire pendant 45 min.

Cari de poulet

Remplacez la viande de porc par des cuisses de poulet et des bananes plantains. Ajoutez 1 c. à s. de curry doux au curcuma et mouillez avec 10 cl de lait de coco et 2 c. à s. de sauce soja. Faites cuire pendant 1 h.

Cari de queue de bœuf

Remplacez le rôti de porc par de gros tronçons de queue de bœuf. Mouillez de vin rouge et ajoutez 4 tomates concassées en même temps que les aromates et le curcuma. Faites cuire pendant 1 h 45.

CARI RÉUNIONNAIS

Préparation : 30 min • **Cuisson :** 1 h 10 • **Pour 6 personnes**

800 g de rôti de porc • 1,5 kg de pommes de terre • 2 c. à s. d'huile • 1 c. à s. de thym frais • 3 oignons • 2 gousses d'ail • 1 c. à s. de curcuma • sel et poivre

● Demandez au boucher de barder légèrement et de ficeler le rôti de porc. Mettez-le dans une cocotte à fond épais, salez et poivrez.

● Couvrez juste d'eau et faites bouillir puis baissez le feu et laissez mijoter jusqu'à évaporation complète de l'eau. Le rôti doit commencer à dorer dans sa propre graisse.

● Pendant ce temps, pelez et lavez les pommes de terre. Coupez-les en gros morceaux. Ajoutez-les dans la cocotte avec l'huile et le thym.

● Mélangez. Ajoutez les oignons pelés et émincés, l'ail pelé et haché et le curcuma. Remuez et laissez rissoler. Versez 20 cl d'eau.

● Déglacez, couvrez et laissez cuire pendant encore 20 min. Rectifiez l'assaisonnement et servez.

Daube de sanglier

Avant de le faire cuire, piquez le carré de sanglier de petits lardons gras et faites-le mariner dans du vin rouge avec 3 échalotes, 2 gousses d'ail, 2 feuilles de laurier et 8 baies de genièvre concassées pendant 24 h.

Côtelettes de marcassin

Faites cuire des côtelettes de marcassin à la poêle et accompagnez-les d'une compote de pommes aux fruits secs et à la cannelle.

Poires pochées

Remplacez les haricots blancs par des poires à cuire. Faites-les pocher entières, pelées et citronnées, dans 25 cl de vin blanc additionné de 4 c. à s. de gelée de coing pendant 20 min.

Sauce aux girolles

Réalisez une sauce blanche : faites cuire 30 g de beurre avec 30 g de farine, mouillez avec 40 cl de lait et faites mijoter pendant 10 min. Ajoutez-y 200 g de petites girolles et 4 c. à s. de crème fraîche puis continuez la cuisson pendant encore 10 min.

CARRÉ DE SANGLIER

Préparation : 20 min • **Repos :** 24 h • **Cuisson :** 2 h 20 • **Pour 8 personnes**

1 bouquet de persil • 6 échalotes • 3 gousses d'ail • thym et laurier
• 1 carré de sanglier de 2 kg avec les os • 100 g de saindoux
• 40 cl de vin blanc sec • 4 c. à s. de gelée de pomme • 600 g de haricots
blancs frais • sel et poivre

● Mélangez le persil ciselé, les échalotes et l'ail pelés et hachés, un peu de thym et de laurier émiettés dans une terrine.

● Posez le carré de sanglier dedans et frottez-le sur toutes les faces pour bien l'enrober. Couvrez et laissez reposer au frais pendant 24 h.

● Posez le carré de sanglier dans une grande cocotte avec le saindoux fondu. Saisissez-le, salez, poivrez et ajoutez les aromates, couvrez et faites cuire pendant 30 min sur feu moyen.

● Retournez la pièce de viande et arrosez-la de vin blanc. Poursuivez la cuisson plus doucement pendant 30 min.

● Ajoutez 1 verre d'eau bouillante et continuez la cuisson pendant 1 h.

● Égouttez le carré et découpez-le en tranches épaisses. Passez le jus de cuisson dans une petite casserole et liez la sauce avec la gelée de pommes. Servez-la en saucière.

● Accompagnez le carré de sanglier de haricots blancs cuits au naturel et parfumés au romarin.

CASSOULET

Cassoulet de Carcassonne

Conservez les différents morceaux de porc, mais ajoutez 4 tranches de gigot sans os, juste saisies à l'huile, et 2 perdrix, vidées et coupées en deux, en même temps que les portions de canard.

Cassoulet de morue

Remplacez le confit par des tronçons de morue dessalée, mais conservez le porc dans la recette.

Cassoulet de Montauban

Remplacez la saucisse de Toulouse par de petites saucisses individuelles et ajoutez un gros saucisson à l'ail. Utilisez des haricots de Pamiers.

Cassoulet aux fèves

Remplacez les haricots par de grosses fèves sèches pour réaliser une recette proche de celle que l'on confectionnait avant l'introduction des haricots en Europe au XVIe siècle.

Préparation : 15 min • **Cuisson :** 2 h 30 • **Pour 8 personnes**

1 kg de gros haricots lingots frais • 200 g de couenne de porc • 300 g de lard de poitrine • 4 gousses d'ail • 1 bouquet garni • 1 oignon • 2 clous de girofle • 4 portions de confit de canard • 800 g d'épaule de porc • 4 cm de saucisse fraîche pur porc • sel et poivre

● Versez les haricots dans une grande casserole, couvrez largement d'eau froide, faites bouillir de 6 à 7 min.

● Égouttez-les et remettez-les dans la casserole vide, couvrez d'eau tiède, ajoutez les couennes en morceaux, le lard coupé en gros dés, les gousses d'ail pelées, le bouquet garni et l'oignon pelé et piqué de 2 clous de girofle.

● Laissez mijoter doucement à couvert pendant 1 h.

● Débarrassez les portions de confit de leur graisse et faites-les dorer doucement dans une poêle en les retournant. Réservez.

● Faites revenir, dans la même poêle, l'épaule de porc coupée en morceaux dans la graisse rendue pendant 5 min ; égouttez-les.

● Faites ensuite dorer la saucisse piquée pendant 5 min. Versez une épaisse couche de haricots avec leur jus et leur garniture dans une grande terrine.

● Ajoutez une couche de morceaux de viande de porc et les portions de confit. Continuez à remplir la terrine en alternant haricots et morceaux de viande. Salez et poivrez.

● Terminez par la saucisse roulée en spirale sur le dessus. Versez le jus de la poêle et mettez la terrine au four à 160 °C.

● Laissez cuire pendant 1 h en enfonçant plusieurs fois la croûte qui se reconstitue sur le dessus. Servez très chaud.

Choucroute au kirsch

Faites cuire la choucroute avec du bouillon de bœuf ou de volaille à la place du riesling et ajoutez 1 petit verre de kirsch en fin de cuisson.

Choucroute au lard

Ajoutez des tranches de lard maigre ou des tranches de jambon de Prague légèrement fumé en même temps que les saucisses.

Choucroute de poissons fumés

Faites réchauffer de la choucroute cuite. Répartissez-la sur des assiettes chaudes, garnissez-la d'un assortiment de poissons fumés (saumon, flétan, hareng, anguille) et servez avec du beurre blanc.

Choucroute végétarienne

Servez la choucroute nature bien chaude avec des quartiers de pommes sautés au beurre, des saucisses de soja et des steaks de soja rissolés à la poêle.

Préparation : 20 min • **Trempage :** 12 h • **Cuisson :** 3 h 10
Pour 8 à 10 personnes

1 jambonneau demi-sel • 1 palette de porc fumée • 2 kg de choucroute crue • 2 oignons • 3 c. à s. de saindoux • 15 baies de genièvre • 1 c. à c. de cumin • 1 bouteille de riesling • 2 saucisses de Montbéliard • 8 saucisses de Strasbourg • poivre

- Faites tremper les viandes dans une marmite d'eau froide pendant 1 nuit.

- Lavez la choucroute rapidement et essorez-la. Pelez et émincez les oignons.

- Faites chauffer le saindoux dans une grande cocotte à fond épais. Ajoutez les oignons et faites-les fondre en remuant. Ajoutez la choucroute en l'effilochant et en la mélangeant aux oignons.

- Ajoutez les baies de genièvre et le cumin, laissez chauffer en soulevant la choucroute plusieurs fois, poivrez et ajoutez la moitié du riesling.

- Introduisez les viandes égouttées en les enfouissant à demi dans la choucroute. Laissez mijoter doucement à couvert pendant 2 h 45 en ajoutant progressivement le riesling restant. Surveillez que le fond n'attache pas.

- Ajoutez ensuite les saucisses de Montbéliard et 10 min plus tard, les saucisses de Strasbourg. Faites-les cuire pendant 10 min.

- Retirez la viande de la cocotte et découpez le tout en portions. Disposez la choucroute sur un plat très chaud, avec les morceaux de viande et les saucisses en garniture.

CIVET DE LIÈVRE AUX OIGNONS

Préparation : 30 min • **Marinade :** 48 h • **Cuisson :** 2 h • **Pour 6 personnes**

1 lièvre de 2 kg • 2 l de vin rouge • 5 cl de vinaigre de vin blanc
• 3 oignons • 2 carottes • 2 branches de céleri • 1 bouquet garni
• 10 cl d'huile • 50 g de farine • 2 gousses d'ail • 250 de champignons
de couche • sel et poivre

● Découpez le lièvre en morceaux en réservant le sang et les abats. Pelez les oignons et les carottes.

● Faites mariner ces morceaux dans le vin avec le vinaigre, les oignons, les carottes, les branches de céleri émincées et le bouquet garni pendant 48 h.

● Égouttez les morceaux de lièvre et les légumes. Faites bouillir la marinade.

● Faites revenir les morceaux de lièvre et les légumes à l'huile dans une cocotte. Saupoudrez de farine et faites cuire en remuant pendant 4 min.

● Versez la marinade, salez et poivrez, ajoutez les gousses d'ail et les abats.

● Faites cuire au four à couvert à 160 °C pendant environ 2 h. Ajoutez les champignons émincés durant les dernières 30 min. Retirez les morceaux de lièvre et posez-les dans un plat.

● Filtrez la sauce et liez-la avec le sang du lièvre en fouettant. Salez et poivrez, nappez le lièvre de cette sauce.

Avec des pâtes fraîches

Faites cuire 250 g de pâtes fraîches dans de l'eau salée pendant 6 min. Égouttez-les et versez-les dans une casserole avec 10 cl de crème fleurette, salez et poivrez. Faites chauffer doucement puis ajoutez 200 g d'oseille fondue au beurre pendant 5 min.

Fricassée de champignons

Servez ce civet avec une fricassée de champignons de cueillette : petits cèpes, mousserons, girolles, éventuellement complétés par des pleurotes ou des shiitakés, à la saveur légèrement fumée.

Purée de marrons

Faites cuire 1 kg de marrons au naturel puis réduisez-les en purée avec 2 branches de céleri et 4 c. à s. de crème fraîche. Servez avec le civet.

Purée de céleri

Réalisez une purée composée pour moitié de pommes de terre et pour moitié de céleri-rave. Parfumez-la avec des feuilles de céleri branche. Servez avec le civet.

Alsace

CONFIT DE CANARD AUX FÈVES

Préparation : 20 min • **Cuisson :** 40 min • **Pour 6 personnes**

3 portions de confit • 1 kg de petites fèves fraîches • 12 petits oignons grelots • 100 g de jambon cru • sucre en poudre • 1 bouquet garni • sel et poivre

- Dégraissez le confit. Écossez les fèves, pelez les oignons et hachez le jambon.

- Faites revenir les oignons et le jambon dans une cocotte avec 2 c. à s. de graisse en remuant pendant 5 min.

- Ajoutez les fèves, 1 pincée de sucre, le bouquet garni et assaisonnez. Ajoutez 4 c. à s. d'eau et laissez mijoter pendant 30 min.

- Pendant ce temps, faites dorer les portions de confit sur la grille de la lèchefrite au four à 230 °C ou dans une grande poêle en les retournant plusieurs fois.

- Versez le ragoût de fèves dans un plat creux, sans le bouquet garni, et placez les portions de confit coupées en deux dessus.

Confit de canard à l'oseille

Faites blanchir 800 g d'oseille, pressez-la et hachez-la grossièrement. Égouttez la graisse des confits et remettez les portions dans la cocotte à feu très doux. Ajoutez l'oseille et 10 cl de bouillon. Laissez mijoter pendant 15 min. Salez et poivrez.

Confit de canard aux petits pois

Remplacez les fèves par 1 kg de petits pois frais écossés et remplacez le jambon cru par des petits lardons fumés. Servez avec de la laitue assaisonnée à l'huile de noix.

Pommes sarladaises

Faites rissoler des pommes de terre coupées en rondelles dans la graisse des confits. Assaisonnez les pommes de terre d'une persillade bien relevée.

Aux petits navets

Remplacez les fèves par 600 g de navets nouveaux coupés en deux. Faites-les revenir avec 400 g de petits oignons blancs grelots saupoudrés de sucre en poudre dans de la graisse de canard.

Coq au vin à l'alsacienne

Remplacez le bourgogne rouge par du riesling et les champignons de couche par des champignons de cueillette. Remplacez également le marc de Bourgogne par du marc d'Alsace.

Coq au vin à la savoyarde

Remplacez le bourgogne rouge par de la mondeuse (vin rouge savoyard) et les lardons maigres par des languettes de jambon fumé. Mettez quelques baies de genièvre à la place de l'ail.

Coq au vin à la jurassienne

Remplacez le bourgogne rouge par du vin d'Arbois et les champignons de couche par des morilles. Mettez des petites échalotes grises à la place de l'ail.

Coq au vin à la landaise

Remplacez le bourgogne rouge par du bordeaux rouge et les champignons de couche par des quartiers de cèpes. Utilisez du jambon de Bayonne en dés à la place des lardons.

COQ AU VIN

Préparation : 20 min • **Cuisson :** 1 h 30 • **Pour 6 personnes**

12 petits oignons blancs • 125 g de lardons maigres
• 120 g de beurre • huile • 1 coq de 2 kg coupé en morceaux
• 2 c. à s. de marc de Bourgogne • 1 bouteille de bourgogne rouge
• 1 bouquet garni • 2 gousses d'ail • 250 g de petits champignons
• 25 g de farine • 3 c. à s. de sang de volaille • sel et poivre

● Faites dorer les petits oignons pelés et les lardons dans une cocotte avec la moitié du beurre et 1 filet d'huile.

● Retirez-les. Faites revenir à leur place les morceaux de volaille, remettez les lardons et les oignons.

● Faites flamber avec le marc chauffé puis versez le vin rouge.

● Ajoutez le bouquet garni et l'ail pelé et haché. Portez à ébullition, baissez le feu, couvrez et laissez mijoter pendant 1 h.

● Faites sauter les champignons émincés dans 30 g de beurre, salez et poivrez, ajoutez-les dans la cocotte et faites cuire pendant encore 20 min.

● Mélangez le beurre restant et la farine, délayez avec un peu de sauce puis versez le tout peu à peu dans la cocotte en fouettant pendant 5 min.

● Versez ensuite le sang en remuant sans laisser bouillir. Retirez le bouquet garni et servez chaud.

Bourgogne

Vinaigrette aux échalotes

Servez la cotriade accompagnée d'une vinaigrette réalisée avec de l'huile de maïs, du vinaigre de vin blanc, du sel et du poivre au moulin et enrichie d'échalotes hachées et de cerfeuil ciselé.

Avec un beurre blanc

Préparez un beurre blanc en faisant fondre 150 g de beurre demi-sel dans une casserole, écumez, additionnez-le du jus de 1 citron pressé et filtré, salez et poivrez. Égouttez les pommes de terre et servez-les à part avec cette sauce.

Cotriade aux sardines

Remplacez les grondins par de grosses sardines vidées. Supprimez les courgettes et remplacez-les par 300 g de feuilles d'épinard ou de blettes.

Cotriade des pêcheurs

Remplacez la moitié des poissons par des têtes de poissons (1 tête de congre, 1 tête de merlu), puis ajoutez quelques langues de morue dessalées. Supprimez les haricots verts.

COTRIADE

Préparation : 30 min • **Cuisson :** 50 min • **Pour 6 personnes**

*400 g de congre • 500 g de daurade • 300 g de merlu • 3 grondins
• 3 oignons • 2 branches de céleri • 1 bouquet garni • 4 pommes de terre
• 2 courgettes • 1 carotte • 50 g de beurre • 100 g de haricots verts
• pluches de cerfeuil • sel et poivre*

● Nettoyez les poissons. Mettez les têtes, les arêtes et le morceau de congre dans une marmite.

● Ajoutez les oignons pelés et hachés, le céleri paré et haché et le bouquet garni. Versez 3,5 l d'eau, salez et poivrez.

● Couvrez et portez à ébullition. Laissez mijoter pendant 20 min.

● Pelez les pommes de terre et coupez-les en grosses rondelles.

● Pelez les courgettes et la carotte. Faites revenir les courgettes et la carotte coupées en rondelles avec le beurre dans une marmite, ajoutez les pommes de terre et mélangez pendant 2 min.

● Passez le bouillon au congre et versez-le dans la marmite. Faites cuire pendant 10 min en ajoutant le congre.

● Ajoutez ensuite la daurade et le merlu en morceaux. Au bout de 10 min, ajoutez les grondins et les haricots verts. Poursuivez la cuisson pendant encore 10 min.

● Servez dans des assiettes creuses bien chaudes avec des pluches de cerfeuil.

Bretagne

CRUMBLE DE BOUDIN NOIR AUX POMMES

Préparation : 10 min • **Cuisson :** 30 min • **Pour 4 personnes**

4 pommes à cuire • 1 citron • 150 g de beurre • 400 g de pommes de terre farineuses • 4 boudins noirs • sel et poivre

● Pelez les pommes, coupez-les en quartiers, citronnez-les et faites-les cuire à la poêle avec 40 g de beurre pendant 25 min.

● Faites cuire les pommes de terre dans leur peau dans de l'eau bouillante salée, égouttez-les, pelez-les et passez-les au presse-purée.

● Écrasez les pommes et mélangez-les avec la purée en incorporant 40 g de beurre en parcelles.

● Piquez les boudins et ajoutez-les dans une poêle où vous aurez fait chauffer 50 g de beurre.

● Faites-les cuire jusqu'à ce qu'ils soient bien croustillants.

● Égouttez-les et écrasez-les grossièrement dans un plat à gratin.

● Recouvrez-les de purée et ajoutez le beurre restant en parcelles. Passez au four pendant 5 min et servez aussitôt.

Boudins blancs et carottes

Remplacez les boudins noirs par des boudins blancs cuits et coupés en grosses rondelles et la purée de pommes aux pommes de terre par une purée de pommes de terre aux carottes parfumée au cumin.

Andouillettes et navets

Remplacez les boudins noirs par des andouillettes rissolées et émiettées. Remplacez les pommes par des navets cuits et écrasés à la fourchette.

Boudins noirs et poires

Remplacez les pommes par des lamelles de poires cuites, ne les écrasez pas mais intercalez-les entre les boudins et la purée. Saupoudrez de parmesan puis faites légèrement gratiner le plat.

Boudins noirs et fruits rouges

Ajoutez 2 gros oignons émincés revenus dans du beurre aux boudins noirs. Remplacez les pommes par 400 g de myrtilles mélangées avec des mûres. Recouvrez le plat d'une fine couche de chapelure et faites-le gratiner au four.

Daube de dinde

Remplacez les tranches de bœuf par des morceaux de dinde, faites-les flamber au calvados, puis faites-les cuire au cidre et ajoutez 4 pommes évidées et coupées en quartiers pendant les dernières 30 min de cuisson.

Daube d'oie

Remplacez les tranches de bœuf par des morceaux d'oie. Faites-les flamber à l'armagnac et ajoutez 300 g de jambon de pays coupé en gros dés à la recette.

Daube de thon

Remplacez les tranches de bœuf par 1 épaisse darne de thon piquée de petits morceaux d'anchois. Faites cuire pendant seulement 1 h 30 et ajoutez 1 écorce d'orange séchée et coupée en tronçons.

Daube de mouton

Remplacez les tranches de bœuf par des tranches de mouton et les couennes par 1 pied de veau désossé. Utilisez du cahors ou du madiran pour le vin.

DAUBE DE BŒUF

Préparation : 30 min • **Cuisson :** 3 h • **Pour 6 personnes**

1,5 kg d'aloyau • 1 gros bouquet de persil • 4 gousses d'ail
• 2 échalotes • 2 couennes • 300 g de petits lardons maigres
• 60 cl de vin rouge corsé • 1 oignon piqué de 1 clou de girofle
• 2 grosses carottes longues • 1 bouquet garni • 125 g d'olives noires
• sel et poivre

- Découpez la pièce de bœuf en tranches régulières assez minces. Hachez grossièrement le persil. Pelez et hachez les gousses d'ail et les échalotes. Mélangez l'ail, le persil et les échalotes.

- Tapissez une cocotte en fonte avec les couennes, en les faisant remonter le long des bords. Salez et poivrez les tranches d'aloyau.

- Étalez-en une couche sur les couennes et recouvrez-la de hachis en ajoutant des lardons. Remplissez ainsi la cocotte en alternant les ingrédients.

- Versez doucement le vin rouge puis ajoutez l'oignon épluché et piqué, les carottes pelées et coupées en rondelles et le bouquet garni. Portez lentement à ébullition puis couvrez et poursuivez la cuisson au four à chaleur douce (175 °C) pendant 3 h.

- Dégraissez le jus, retirez l'oignon piqué et le bouquet garni, ajoutez les olives, mélangez et servez.

Provence

ESCALOPES DE VEAU AU MAROILLES

Préparation : 20 min • **Cuisson :** 15 min • **Pour 4 personnes**

4 escalopes de veau épaisses • 4 tranches de maroilles • 2 œufs
• 80 g de chapelure • 600 g de chou rouge • 8 cl d'huile de colza
• 2 c. à s. de vinaigre de cidre • 4 c. à s. de persil plat ciselé
• 100 g de beurre • 1 citron • sel et poivre

● Fendez les escalopes de veau en deux dans l'épaisseur et glissez-y une tranche de maroilles écroûtée. Refermez les escalopes en appuyant bien. Ne salez pas car le fromage l'est déjà.

● Trempez l'une après l'autre les escalopes dans les œufs battus avec un peu de poivre puis passez-les dans la chapelure sur chaque face, en appuyant pour qu'elle adhère bien.

● Réservez au frais pendant la préparation du chou rouge.

● Émincez le chou dans un saladier, ajoutez l'huile et le vinaigre, salez et poivrez, ajoutez le persil.

● Mélangez intimement et laissez reposer à température ambiante.

● Faites fondre le beurre dans une grande poêle et faites-y dorer les escalopes de 6 à 7 min de chaque côté sur feu assez vif.

● Égouttez-les et servez-les avec le chou rouge et des quartiers de citron.

Côtes de veau à la chicorée

Remplacez les escalopes par des côtes de veau épaisses. Trempez-les dans la chapelure, faites-les cuire puis déglacez la poêle avec 10 cl de bière, 1 c. à s. de chicorée liquide et 20 cl de crème fraîche.

Endives braisées

Servez les escalopes de veau au maroilles avec des endives braisées au beurre pendant 30 min, en ajoutant un trait de chicorée liquide dans le jus de cuisson.

Rôti de veau au maroilles

Fendez un rôti de veau à intervalles réguliers et glissez une petite tranche de maroilles écroûté dans chaque fente. Bardez le rôti, ficelez-le et faites-le cuire au four à 180°C pendant 1 h.

Pain au maroilles

Faites fondre 2 gros oignons émincés dans 30 g de beurre. Beurrez 4 tranches de pain, garnissez-les de lamelles de maroilles, recouvrez-les de fondue d'oignons et faites gratiner au four pendant 8 min. Servez avec les escalopes.

Picardie

Faisan à l'alsacienne

Farcissez une poule faisane de 3 petits-suisses malaxés avec de la ciboulette, faites-la dorer au beurre dans une cocotte puis faites-la mijoter pendant 1 h avec 10 cl de riesling. Servez sur un lit de choucroute très chaude.

Faisan aux girolles

Remplacez les échalotes et les oignons, qui constituent la farce, par 500 g de petites girolles sautées au beurre, mélangées avec 1 échalote finement émincée et 1 c. à s. d'armagnac.

Pommes caramélisées

Faites cuire 4 pommes entières pelées, évidées et citronnées dans 50 g de beurre pendant 25 min dans une petite cocotte. Saupoudrez-les avec 1 c. à s. de sucre en poudre en fin de cuisson pour qu'elles caramélisent.

Faisan aux noix et au raisin

Faites cuire le faisan en cocotte avec 25 noix fraîches, le jus de 3 oranges, 500 g de grains de raisin, 1 petit verre de madère et 50 g de beurre en parcelles à feu doux pendant 45 min.

Préparation : 20 min • **Cuisson :** 50 min • **Pour 2 personnes**

2 échalotes • 3 oignons • 45 g de beurre • 1 c. à s. de crème fraîche
• 1 jeune faisan prêt à cuire • 2 carottes • 12,5 cl de bouillon de volaille
• sel et poivre

● Faites revenir les échalotes et 2 oignons pelés et émincés dans 30 g de beurre en remuant pendant 10 min. Ajoutez la crème fraîche, salez et poivrez.

● Salez et poivrez le faisan, farcissez-le du mélange précédent, recousez-le et bridez-le. Enduisez-le avec 15 g de beurre ramolli.

● Disposez l'oignon restant pelé et émincé et les carottes pelées et coupées en tronçons dans le plat autour du faisan.

● Faites cuire au four à 190 °C pendant 30 min. Sortez le faisan et les légumes et laissez-les en attente à couvert.

● Déglacez le plat de cuisson avec le bouillon puis faites réduire ce jus pendant 10 min pour le servir à part en saucière. Vous pouvez proposer une purée de céleri en accompagnement.

FILETS DE SANDRE
AUX CHAMPIGNONS

Préparation : 20 min • **Cuisson :** 20 min • **Pour 4 personnes**

500 g de champignons • 1 citron • 150 g de beurre • 4 poireaux
• 2 c. à s. de crème fraîche • 4 filets de sandre de 180 g chacun
• 3 c. à s. d'huile de noix • vinaigre de vin blanc • pluches de cerfeuil
• sel et poivre

● Faites sauter les champignons nettoyés, citronnés et émincés dans
50 g de beurre pendant 10 min, salez et poivrez. Égouttez-les
et réservez.

● Parez, lavez, égouttez et émincez les poireaux. Faites-les revenir
dans 50 g de beurre en les remuant pendant 10 min. Ajoutez
la crème. Réservez.

● Rangez les filets de sandre salés et poivrés dans un plat à four beurré,
ajoutez le beurre restant en parcelles et faites cuire au four
à 180 °C de 8 à 10 min.

● Déposez-les sur des assiettes chaudes, arrosez de quelques gouttes
de citron et de vinaigre et ajoutez les poireaux émincés mélangés
aux champignons.

● Garnissez de pluches de cerfeuil et servez.

Sandre à la bière

Faites braiser les filets
de sandre au four dans un plat
beurré sur un lit d'oignons
émincés, arrosés de bière
blonde et servis avec des
pommes de terre vapeur.

Gratin de sandre

Rangez les filets de sandre dans
un plat à gratin beurré sur un lit
de purée de pommes de terre,
couvrez de chapelure, arrosez
de beurre fondu et faites
gratiner au four pendant
20 min.

Sandre au vin blanc

Faites cuire les filets de sandre
dans un court-bouillon au vin
blanc et servez-les avec
une fondue de blancs de
poireaux au beurre liée avec
un peu de crème fraîche.

Sandre à la champenoise

Faites pocher les filets
de sandre dans 50 cl
de champagne puis filtrez
le jus de cuisson et liez-le avec
50 g de beurre manié. Servez
accompagné de haricots verts
cuits à la vapeur.

Lorraine

Préparation : 30 min • **Cuisson :** 15 min • **Pour 4 personnes**

400 g de beaufort • 300 g d'emmental • 150 g de tomme de Savoie
• 1 gousse d'ail • 50 cl de vin blanc de Savoie • fécule de maïs
• 2 cl de kirsch • 500 g de pain de campagne • sel et poivre

● Écroûtez les fromages et taillez-les en minces lamelles (ne les râpez pas). Pelez l'ail et frottez-en l'intérieur d'un poêlon à fondue, posez-le à feu doux, ajoutez le vin et quelques pincées de fécule.

● Délayez puis ajoutez les lamelles de fromage sans cesser de remuer à l'aide d'une cuillère en bois.

● Laissez bouillir à petits bouillons pendant 3 min une fois que tout le fromage a fondu.

● Retirez le poêlon du feu et posez-le sur un réchaud de table. Versez le kirsch et mélangez, salez modérément et poivrez.

● Dégustez en plongeant des carrés de pain au bout de fourchettes à long manche.

Fondue au vacherin

Réalisez la fondue avec 800 g de vacherin écroûté, coupé en morceaux. Faites-le fondre dans un poêlon beurré avec 10 cl de lait jusqu'à l'obtention d'une consistance de pâte épaisse.

Fondue du Jura

Faites fondre 400 g de comté, 300 g d'emmental et 150 g d'appenzell (fromage suisse très fruité). Remplacez le vin blanc de Savoie par du vin blanc du Jura.

Fondue aux fromages forts

Pour une saveur plus relevée, utilisez 400 g de maroilles, 300 g de gouda et 150 g d'emmental. Remplacez le kirsch par du genièvre et le pain de campagne par du pain d'épice rassis.

Fondue auvergnate

Utilisez 400 g de cantal, 300 g de salers et 150 g de saint-nectaire. Choisissez de préférence un vin blanc local et remplacez le pain de campagne par du pain de seigle.

Préparation : 30 min • **Cuisson :** 2 h 20 • **Pour 6 personnes**

400 g de lard demi-sel • 2 poireaux • 2 navets • 2 carottes • 2 oignons
• 4 gousses d'ail • 1 gros bouquet garni • 1 cœur de chou vert frisé
• 4 pommes de terre • 1 part de confit d'oie • sel et poivre

● Mettez dans une marmite le lard coupé en cubes, couvrez largement d'eau, faites bouillir et écumez.

● Ajoutez les poireaux coupés en tronçons, les navets, les carottes et les oignons pelés et émincés, les gousses d'ail pelées et le bouquet garni.

● Ajoutez un peu d'eau et faites bouillir à nouveau.

● Salez et poivrez, couvrez et laissez mijoter pendant 1 h 15.

● Ajoutez le chou taillé en lanières et les pommes de terre pelées, taillées en rondelles.

● Poursuivez la cuisson doucement pendant 45 min. Ajoutez le confit et faites cuire pendant 10 min.

● Retirez le bouquet garni avant de servir.

Garbure au canard

Remplacez le confit d'oie par 2 portions de confit de canard et servez la garbure avec des tranches de cou de canard farci juste rissolées dans un peu de graisse de canard.

Garbure aux haricots

Ajoutez 250 g de gros haricots blancs (ou de fèves) préalablement trempés en même temps que les légumes pour donner davantage de moelleux à la soupe.

Garbure gratinée

Placez les légumes et le bouillon à part dans une marmite, recouvrez de tranches de pain, mouillez de bouillon, saupoudrez de gruyère râpé et faites gratiner au four pendant 10 min environ.

Garbure de printemps

Réalisez une autre recette de garbure béarnaise avec des feuilles de blette, d'oseille, d'épinard, de laitue, de chicorée sauvage et du céleri en branches, émincés et cuits dans un bouillon. Faites mijoter et ajoutez des tranches de jarret de veau cuit.

GIGOT DE PRÉ-SALÉ

Préparation : 5 min • **Cuisson :** 50 min • **Pour 6 à 8 personnes**

1 gigot de pré-salé de 2 kg environ • 40 g de beurre • poivre noir au moulin • sel de mer fin

- Préchauffez le four à 280 °C.

- Ciselez la graisse qui enveloppe le gigot et enduisez-le de beurre ramolli.

- Posez-le dans un grand plat à four muni d'une grille. Enfournez à mi-hauteur et faites cuire au four pendant 10 min.

- Baissez la température à 220 °C. Salez et poivrez.

- Poursuivez la cuisson en comptant 12 min par livre. Retournez le gigot deux ou trois fois en cours de cuisson.

- Éteignez le four et laissez reposer le gigot pendant 8 min. Découpez-le en tranches régulières, pas trop fines.

- Dégraissez le jus de cuisson et versez-le dans une saucière en ajoutant le jus qui aura coulé pendant le découpage.

Garniture

Servez le gigot de pré-salé avec des flageolets ou des fèves, des haricots verts au beurre ou des pommes sautées, ou encore avec une purée de pommes de terre à la crème.

Gigot bouilli

Salez et poivrez le gigot, beurrez-le, farinez-le puis enveloppez-le d'un linge et plongez-le dans une grande marmite d'eau avec des carottes, des oignons et 2 ou 3 gousses d'ail. Faites-le cuire à raison de 30 min/kg.

Sauce à la menthe

Le gigot de pré-salé bouilli se sert avec une sauce réalisée avec 50 g de feuilles de menthe fraîche ciselées et macérées pendant 30 min avec 15 cl de vinaigre, 4 c. à s. de cassonade, du sel et du poivre.

Gigot aux épices

Badigeonnez le gigot d'un mélange de 4 c. à s. de miel, de 3 clous de girofle pilés, de 1 c. à c. de cannelle en poudre, de 3 c. à s. de beurre fondu avant la cuisson. Salez et poivrez.

Picardie

Gigot à l'ail

Piquez le gigot d'ail, faites-le
dorer au beurre dans une
cocotte. Enveloppez-le d'un
torchon humide et ficelez-le.
Faites-le cuire avec
des carottes, des oignons,
40 cl de vin et 60 cl de bouillon.
Couvrez hermétiquement.
Déballez-le et coupez-le
en tranches avant de servir.

Gigot aux couennes

Faites cuire le gigot avec des
carottes émincées, des petits
oignons et des tomates
concassées, dans une cocotte
tapissée de couennes.

Gigot aux têtes d'ail

Prenez 1 tête d'ail par personne,
coupez-les en deux
transversalement et faites-les
cuire en papillotes au four ou
dans des braises, puis servez-les
en accompagnement du gigot.

Haricots verts

Servez le gigot de sept heures
avec des haricots verts arrosés
du jus de viande réduit ou d'un
gratin dauphinois (voir p. 62).

GIGOT DE SEPT HEURES

Préparation : 30 min • **Cuisson :** 7 h • **Pour 8 personnes**

*4 oignons • 4 carottes • 1 gros navet • 3 gousses d'ail • 1 branche de
fenouil • 1 petit bouquet de persil • 1 gigot paré de 2 kg • 1 fine barde
de lard • 2 feuilles de laurier • thym séché • 50 cl de bouillon de bœuf
• 5 cl d'eau-de-vie • 50 cl de vin rouge • sel et poivre*

● Tapissez le fond d'une grande braisière avec les oignons, les carottes
et le navet pelés et émincés.

● Ajoutez l'ail pelé et écrasé, le fenouil haché et le persil ciselé.

● Posez dessus le gigot bardé et ficelé assez serré. Ajoutez le laurier
émietté et un peu de thym, salez et poivrez. Versez doucement
le bouillon, l'eau-de-vie et le vin.

● Portez à ébullition sur le feu à découvert puis couvrez
hermétiquement et faites cuire au four à 160 °C pendant 7 h.

● Retirez délicatement le gigot et posez-le sur un plat de service, ôtez
les ficelles et la barde. Passez le jus de cuisson et faites-le réduire
pour en napper la viande.

GRATIN DE MACARONI

Préparation : 15 min • **Cuisson :** 40 min • **Pour 6 personnes**

*70 g de beurre • 50 g de farine • 50 cl de lait • noix muscade
• 300 g de gros macaroni • 125 g de gruyère râpé • 12 cl de crème
fraîche • sel et poivre*

● Préparez une sauce béchamel avec 50 g de beurre, la farine et le lait,
salez, poivrez et muscadez.

● Par ailleurs, faites cuire les macaroni al dente pendant environ
15 min. Égouttez-les à fond.

● Remplissez le plat de couches alternées de macaroni et de sauce.
Terminez par une couche de sauce.

● Saupoudrez avec le fromage râpé et faites gratiner au four
à 210 °C pendant 20 min. Servez brûlant dans le plat de cuisson.

Gratin à la volaille

Remplissez le plat d'une
première couche de macaroni
à la sauce, ajoutez des restes
de blancs de volaille cuits
coupés en dés puis recouvrez
du reste de macaroni.
Saupoudrez de fromage.

Gratin aux oignons

Tapissez le fond du plat à gratin
avec 250 g de gros oignons
jaunes pelés et revenus dans du
beurre et mélangés avec 1 petit
bouquet de ciboulette avant
de remplir le plat avec les
macaroni et la sauce.

Gratin à la provençale

Avant de saupoudrer le gratin
de fromage, versez quelques
cuillerées de coulis de tomates
au basilic dessus et ajoutez
150 g de rondelles d'olives
noires.

Gratin au bouilli de bœuf

Détaillez 200 g de restes
de bouilli de bœuf en dés ou en
fines tranches et mélangez-les
avec la béchamel. Remplacez
le gruyère par du parmesan
ou du pecorino râpé.

Parmentier de canard

Remplacez le reste de pot-au-feu par 2 portions de confit de canard bien dégraissées et désossées et les gousses d'ail par 2 grosses échalotes roses finement hachées.

Parmentier de volaille

Remplacez le pot-au-feu par 500 g de reste de poulet rôti désossé, sans la peau. Remplacez la chair à saucisse par des merguez coupées en rondelles et le bouillon de bœuf par du bouillon de volaille.

Parmentier de poisson

Remplacez le pot-au-feu par 500 g de chair de morue pochée, effeuillée, sans peau ni arêtes, la chair à saucisse par 200 g de chair de merlan hachée et le bouillon de bœuf par du fumet de poisson.

Parmentier de saucisse

Remplacez le pot-au-feu par 250 g de saucisse de Morteau pochée coupée en rondelles, 250 g de chipolatas et 150 g de saucisses de Francfort pochées coupées en rondelles.

Préparation : 25 min • **Cuisson :** 45 min • **Pour 4 personnes**

1 kg de pommes de terre farineuses • 2 oignons • 90 g de beurre
• 100 g de chair à saucisse fine • 2 c. à s. de concentré de tomates
• 500 g de reste de pot-au-feu • 2 gousses d'ail • 20 g de farine
• 20 cl de bouillon de bœuf • 25 cl de lait • 80 g de gruyère râpé
• sel et poivre

● Faites cuire les pommes de terre pelées dans de l'eau bouillante salée pendant 25 min.

● Pendant ce temps, faites revenir les oignons pelés et émincés dans une sauteuse avec 40 g de beurre, ajoutez la chair à saucisse et faites revenir en remuant pendant 5 min. Incorporez le concentré de tomates.

● Ajoutez le reste de bœuf grossièrement haché, l'ail pelé et émincé, salez et poivrez. Saupoudrez de farine et laissez cuire doucement pendant 5 min.

● Versez le bouillon et laissez mijoter pendant 8 min. Retirez du feu.

● Égouttez les pommes de terre et réduisez-les en purée en incorporant le lait chaud puis la moitié du fromage râpé et 25 g de beurre en parcelles.

● Beurrez un plat à gratin et versez-y la préparation à la viande, recouvrez de purée et lissez le dessus

● Parsemez du fromage restant et faites gratiner au four pendant 5 min.

Harengs aux pommes

Garnissez les filets de harengs cuits au beurre de lamelles de pommes citronnées revenues dans du beurre et nappées de crème fleurette en fin de cuisson avec une pointe de moutarde.

Harengs en papillote

Déposez des harengs entiers sur des feuilles de papier sulfurisé beurrées. Ajoutez 1 c. à s. de crème et 1 c. à s. de persil, salez et poivrez. Refermez les papillotes et faites-les cuire au four à 240 °C pendant 15 min.

Harengs au cidre

Rangez les harengs vidés dans un plat beurré garni d'un lit d'échalotes ciselées. Nappez de 4 c. à s. de crème fraîche, versez 20 cl de cidre, salez et poivrez. Faites cuire au four à 240 °C pendant 10 min.

Harengs en persillade

Faites poêler les filets de harengs au beurre pendant 5 min de chaque côté. Recouvrez-les d'une épaisse persillade (1 bouquet de persil haché avec 4 gousses d'ail). Faites cuire au four de 3 à 4 min.

HARENGS À LA CRÈME

Préparation : 20 min • **Cuisson :** 15 min • **Pour 4 personnes**

4 gros harengs frais de 200 g vidés • farine • 60 g de beurre • huile • 3 échalotes • vinaigre de cidre • 20 cl de crème fraîche • 2 c. à s. de ciboulette ciselée • sel et poivre

● Demandez au poissonnier de lever les filets des harengs. Rincez-les et épongez-les. Salez et poivrez.

● Roulez-les dans la farine et déposez-les dans une poêle où vous aurez fait chauffer 40 g de beurre avec 1 filet d'huile.

● Faites-les dorer sans trop les colorer de 6 à 7 min de chaque côté. Retirez-les et tenez-les au chaud.

● Nettoyez la poêle et faites chauffer le beurre restant. Ajoutez les échalotes pelées et émincées.

● Faites-les blondir, ajoutez 1 filet de vinaigre ; faites bouillir, incorporez la crème fraîche et faites bouillir à nouveau quelques secondes.

● Nappez les harengs de cette sauce, parsemez de ciboulette et servez.

HOCHEPOT FLAMAND

Préparation : 20 min • **Cuisson :** 3 h 30 • **Pour 8 personnes**

1 queue de bœuf • 2 pieds de porc frais • 1 oreille de porc • 35 cl de bière blonde • 3 gros oignons • 8 carottes • 2 panais • 4 navets • 1 cœur de chou pommé • sel et poivre

- Réunissez la queue de bœuf coupée en tronçons de 6 à 7 cm, les pieds de porc coupés dans la longueur et l'oreille de porc détaillée en larges lanières dans une marmite.

- Couvrez largement d'eau, salez et faites bouillir, écumez, baissez le feu et laissez cuire doucement pendant 1 h 45.

- Ajoutez la bière, les oignons, les carottes, les panais et les navets, pelés et coupés en tronçons ou en quartiers.

- Poursuivez la cuisson pendant 45 min. Ajoutez enfin le chou blanchi à l'eau bouillante pendant 5 min et poursuivez la cuisson pendant encore 1 h.

- Égouttez la viande, taillez l'oreille en lanières, mettez le tout dans un grand plat creux, ajoutez les légumes, poivrez abondamment et servez aussitôt.

En purée

Égouttez les légumes du hochepot, réduisez-les en purée et mélangez-les avec 200 g de marrons cuits au naturel. Servez cette garniture parsemée de pluches de persil frisé.

Au vin blanc et à la moutarde

Remplacez la bière par du vin blanc sec et servez le hochepot avec une vinaigrette enrichie de 2 c. à s. de moutarde douce et de 1 c. à s. d'échalotes pelées et finement ciselées.

Hochepot de poule

Remplacez la queue de bœuf, les pieds et l'oreille de porc par une poule vidée et farcie de pain rassis émietté et lié avec 2 œufs ; ajoutez 3 pommes de terre aux légumes.

Comme condiment

Servez le hochepot avec 25 cl d'huile de tournesol fouetté avec 1 jaune d'œuf dur ; ajoutez 2 cornichons hachés, 4 c. à s. de persil ciselé et 1 c. à s. de câpres égouttées, salez et poivrez.

Homards à l'estragon

Supprimez le poivre de Cayenne. Déposez le beurre en parcelles sur les demi-homards, ajoutez 4 feuilles d'estragon par portion, faites cuire au four et servez avec des quartiers de citron.

Homards à l'échalote

Faites fondre 5 échalotes pelées et ciselées dans 50 g de beurre, ajoutez 1 c. à s. de cognac et 4 c. à s. de crème fraîche. Nappez les demi-homards de ce mélange et passez-les au four.

Homards à la mayonnaise

Laissez refroidir les homards cuits à l'eau, décortiquez-les et prélevez la chair de la queue. Taillez-la en médaillons et servez-les avec une mayonnaise au citron et des cœurs de palmier.

Homards à l'italienne

Mélangez intimement le jus de 1 citron filtré, 50 g de beurre fondu, 4 c. à s. de vinaigre balsamique et 4 c. à s. de persil ciselé dans un bol. Nappez les demi-homards de ce mélange avant de les passer au four.

HOMARDS GRILLÉS

Préparation : 15 min • **Cuisson :** 25 min • **Pour 4 personnes**

2 homards de 700 à 800 g chacun • 150 g de beurre demi-sel • 1 citron • sel, poivre et poivre de Cayenne

● Ficelez chaque homard vivant à plat sur une petite planchette. Remplissez d'eau un grand faitout, salez et portez à ébullition.

● Plongez les homards ficelés dans de l'eau bouillante et faites-les cuire pendant 5 min.

● Retirez le faitout du feu et laissez les homards dans l'eau bouillante pendant encore 5 min.

● Égouttez les homards et coupez-les en deux dans le sens de la longueur. Brisez les pinces sans les détacher.

● Faites fondre 60 g de beurre.

● Placez les demi-homards, carapace dessous, sur la grille du four, au-dessus de la lèchefrite. Arrosez-les de beurre fondu, salez et poivrez, ajoutez 1 pincée de poivre de Cayenne.

● Faites-les cuire au four à 200 °C pendant 20 min.

● Pendant ce temps, faites fondre le beurre restant, clarifiez-le et ajoutez le jus du citron, poivrez puis versez-le dans une saucière.

● Présentez les homards grillés à la sortie du four avec le beurre de citron.

Bretagne

LAMPROIE À LA BORDELAISE

Préparation : 30 min • **Cuisson :** 45 min • **Pour 4 personnes**

1 lamproie de 1 kg dépouillée avec le sang à part • 1 bouteille de vin de Médoc • 6 poireaux • 3 carottes • 5 échalotes • 1 tranche épaisse de jambon cru • 8 cl d'huile • farine • 1 bouquet garni • 1 carré de chocolat amer • sel et poivre

- Réservez le sang de la lamproie au frais dans un bol avec un peu de vin rouge ainsi que le poisson coupé en tronçons et arrosé de vin rouge.

- Faites revenir les poireaux, les carottes et les échalotes pelés et émincés avec le jambon taillé en languettes dans une cocotte avec l'huile.

- Saupoudrez de farine, mélangez pendant 3 min. Versez le vin rouge restant et faites mijoter pendant 20 min avec le bouquet garni.

- Ajoutez les morceaux de lamproie et faites cuire pendant 15 min. Égouttez-les dans un plat de service.

- Ajoutez le sang et le carré de chocolat dans la cocotte, liez en fouettant vivement la préparation et retirez le bouquet garni avant de verser la sauce sur le poisson.

Lamproie en brochettes

Détaillez une petite lamproie désossée en tronçons réguliers. Faites-les mariner dans une vinaigrette au jus de citron, égouttez-les, panez-les et enfilez-les sur des brochettes pour les faire griller à feu doux.

Lamproie à la provençale

Faites revenir une lamproie vidée coupée en tronçons avec 2 oignons fondus à l'huile. Ajoutez 4 tomates concassées, 1 gousse d'ail écrasée, 1 bouquet garni, versez 10 cl de vin blanc et laissez mijoter pendant 30 min.

Matelote de lamproie

Coupez la lamproie en tronçons et faites-les cuire dans 60 cl de vin rouge avec 4 échalotes, 250 g de petits champignons, 250 g de pruneaux et 1 bouquet garni. Liez la sauce avec 50 g de beurre manié.

Lamproie à la diable

Faites cuire les tronçons de lamproie dans un court-bouillon au vin blanc. Égouttez-les, enduisez-les de moutarde et de beurre fondu puis faites-les griller doucement en les retournant régulièrement.

Lapin au chou

Coupez le lapin en morceaux et placez-les dans une cocotte en alternant avec des couches de chou émincé, d'oignons et de lardons fumés. Mouillez le tout de vin blanc et faites cuire pendant environ 1 h.

Lapin en gelée

Faites cuire les morceaux de lapin dans un bouillon avec des légumes pendant 2 h. Désossez-les et tassez-les dans un moule à cake avec des fines herbes. Versez le jus de cuisson par-dessus et faites prendre en gelée au frais pendant 3 h.

Lapin à l'anglaise

Videz et farcissez le lapin avec un mélange de mie de pain, de 3 échalotes, de 1 œuf et de veau haché. Ficelez-le et faites-le pocher dans un bouillon de volaille. Servez avec une sauce aux câpres ou une mayonnaise aux fines herbes.

Lapin aux pruneaux

Coupez le lapin en morceaux. Faites-les mariner au vin rouge avec des aromates puis faites mijoter au vin blanc avec des petits lardons, des oignons, des pruneaux et des petites pommes de terre.

LAPIN À LA MOUTARDE

Préparation : 5 min • **Cuisson :** 50 min • **Pour 4 personnes**

1 lapin de 1,5 kg coupé en morceaux • 50 g de beurre • 3 échalotes
• 3 c. à s. de moutarde de Dijon • 2 c. à s. de moutarde à l'ancienne
• 12 cl de vin blanc • 3 c. à s. de crème fraîche • sel et poivre

- Faites colorer doucement les morceaux de lapin dans une cocotte avec le beurre chaud, salez et poivrez.

- Ajoutez les échalotes pelées et finement ciselées, mélangez. Délayez les deux moutardes dans un bol avec le vin blanc.

- Versez ce mélange dans la cocotte, couvrez et faites cuire doucement pendant 35 min environ.

- En fin de cuisson, ajoutez la crème fraîche et mélangez délicatement. Rectifiez l'assaisonnement et servez dans un plat creux bien chaud.

Bourgogne

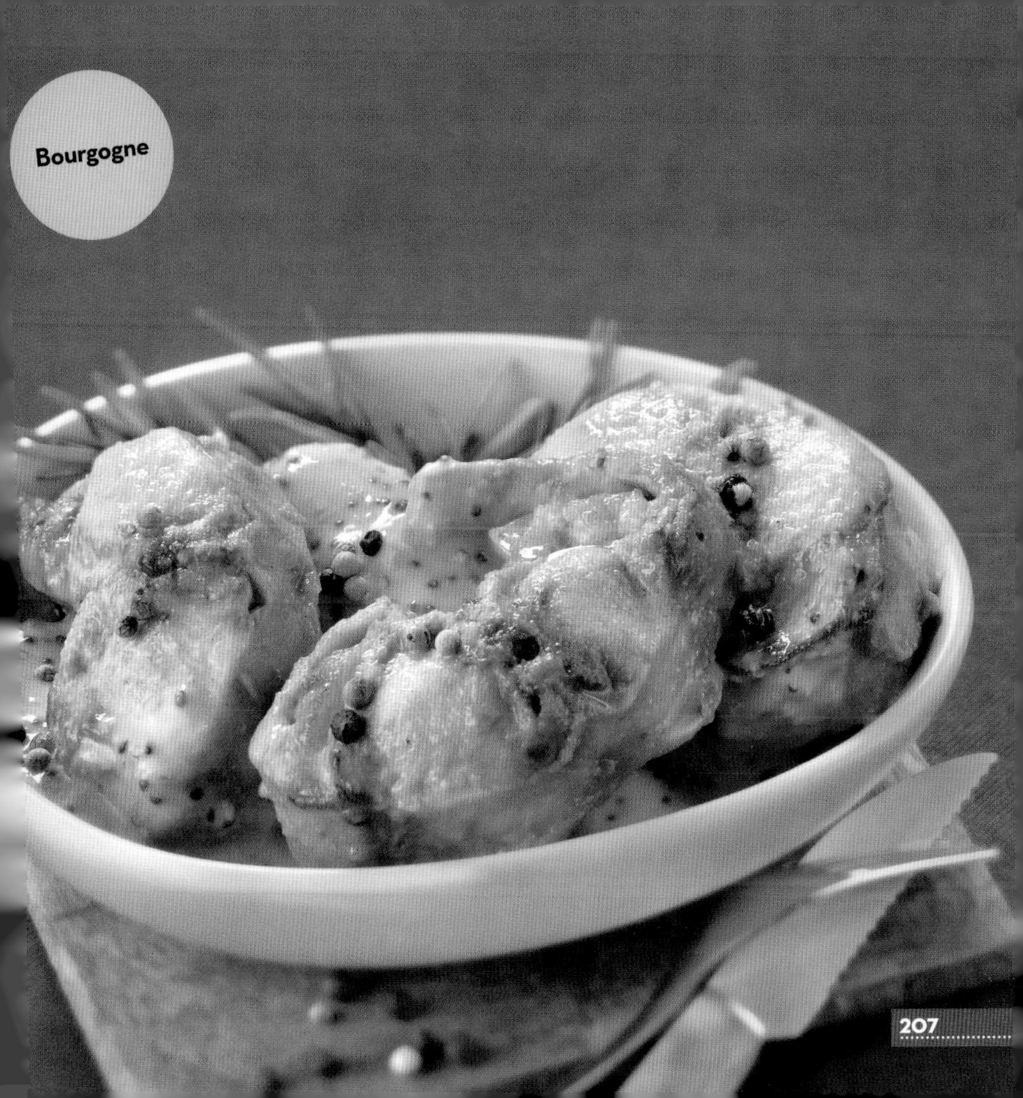

MIQUE AU CANARD

Préparation : 25 min • **Cuisson :** 1 h 30 • **Pour 6 personnes**

5 carottes • 2 navets • 2 poireaux • 1 branche de céleri • 1 oignon
• 1 bouquet garni • 300 g de lard de poitrine salé • 150 g de farine
de maïs • 150 g de farine de froment • 25 g de graisse d'oie • 2 cuisses
de canard • 1 bouquet de persil plat • sel et poivre

● Préparez et tronçonnez les légumes. Mettez-les dans une marmite avec le bouquet garni et le lard.

● Ajoutez 2,5 l d'eau, salez et poivrez, laissez cuire pendant 1 h à feu modéré.

● Pendant ce temps, mélangez les deux sortes de farine dans une terrine, ajoutez la graisse fondue, 1 pincée de sel et 10 cl d'eau tiède.

● Pétrissez jusqu'à l'obtention d'une consistance homogène, tout en ajoutant la chair des cuisses de canard hachée.

● Farinez vos mains et façonnez la pâte en boule compacte. Ajoutez-la dans la marmite et faites cuire doucement de 20 à 30 min.

● Prélevez le lard et la mique. Coupez le lard ainsi que la mique en tranches. Servez les légumes, le lard et la mique dans un plat creux. Poivrez au moulin. Arrosez de jus et parsemez de persil plat.

Cuisine des restes

Faites rissoler les tranches de mique refroidies dans de la graisse d'oie et servez-les en entrée avec du lard grillé et une salade verte assaisonnée à l'huile de noix.

Mique nature

Ajoutez quelques feuilles de chou émincées dans la mique. Faites-la cuire dans un pot-au-feu.

Mique aux champignons

Incorporez 1 poignée de champignons de cueillette hachés dans la mique. Faites-la pocher dans le bouillon de cuisson d'une poule au pot.

Mique aux marrons

Incorporez 4 c. à s. de persil plat et 125 g de marrons cuits au naturel finement émiettés dans la mique. Faites-la pocher dans un bouillon de légumes et servez-la en tranches avec du jambon fumé.

Moules à la bordelaise

Rangez les moules cuites à demi décoquillées dans un plat creux. Mélangez le jus de cuisson filtré à 4 c. à s. de coulis de tomates, 15 cl de sauce blanche à la crème et au jus de ½ citron. Nappez les moules de cette sauce et servez.

Moules à la crème

Mettez les moules cuites à demi décoquillées dans un plat creux. Nappez-les de 30 cl de béchamel légère mélangée au jus de cuisson filtré et à 15 cl de crème fraîche, le tout réduit d'un tiers. Poivrez au moulin.

Moules frites

Décoquillez les moules cuites à la marinière puis faites-les mariner dans une sauce vinaigrette. Égouttez-les, trempez-les dans une pâte à frire puis plongez-les dans un bain de friture.

Salade de moules

Décoquillez les moules et mélangez-les avec 400 g de petites pommes de terre cuites et 2 branches de céleri tronçonnées dans un saladier. Assaisonnez avec une vinaigrette à la moutarde.

MOULES MARINIÈRE

Préparation : 15 min • Cuisson : 6 à 7 min • Pour 4 personnes

2 kg de moules de bouchot • 2 grosses échalotes • 1 bouquet de persil plat • 25 g de beurre • 25 cl de vin blanc sec • 1 bouquet garni • poivre au moulin

● Nettoyez soigneusement les moules en arrachant les filaments du byssus. Grattez-les ou brossez-les sous le robinet d'eau froide. Rincez-les abondamment sans les laisser tremper.

● Jetez celles qui seraient ouvertes ou dont la coquille est cassée. Réservez dans une passoire.

● Pelez et hachez finement les échalotes. Lavez le persil, séchez-le, coupez les queues et ciselez finement les feuilles. Faites fondre le beurre dans une grande marmite.

● Ajoutez les échalotes et la moitié du persil. Faites revenir en remuant pendant 2 min. Versez le vin blanc et portez à ébullition sur feu vif.

● Mettez les moules dans la marmite, toujours sur feu vif, ajoutez le bouquet garni et couvrez. Laissez cuire de 4 à 5 min jusqu'à ce que toutes les moules soient ouvertes.

● Secouez la marmite deux ou trois fois pendant la cuisson en la maintenant couverte. Retirez du feu et ôtez le bouquet garni.

● Prélevez les moules à l'aide d'une écumoire et versez-les dans une soupière. Jetez celles qui restent fermées.

● Ajoutez le persil restant, poivrez et servez, avec des frites bien dorées et croustillantes.

Nord

Oie à l'alsacienne

Faites rôtir l'oie farcie de chair à saucisse au persil. Servez-la sur un lit de choucroute bien chaude, entourée de saucisses de Strasbourg pochées et de fines languettes de lard maigre.

Oie à la sauge

Farcissez l'oie avec des oignons hachés mélangés à un peu de mie de pain et à 15 feuilles de sauge hachées. Faites-la rôtir et servez-la avec une marmelade de pommes à la cannelle.

Oie à la bourguignonne

Faites rôtir l'oie au four et accompagnez-la d'une fricassée de petits champignons aux oignons grelots et aux lardons. Déglacez l'oie une fois rôtie avec 10 cl de vin rouge.

Daube d'oie

Farcissez l'oie de chair à saucisse enrichie de quelques dés de foie gras et faites-la braiser doucement à la graisse d'oie avec 18 cl de bouillon de volaille. Servez-la avec une purée de pommes de terre.

OIE À LA LORRAINE

Préparation : 20 min • **Cuisson :** 2 h • **Pour 8 personnes**

1 kg de pommes reinettes • 2 c. à s. d'eau-de-vie • 2 oignons • 4 échalotes • 1 oie de 3 kg • 50 g de beurre • 4 carottes longues • sel et poivre

- Pelez les pommes, retirez le cœur et les pépins, coupez-les en quartiers dans un plat creux, arrosez-les d'eau-de-vie et réservez.

- Introduisez les oignons et les échalotes pelés et émincés et autant de quartiers de pomme que vous pouvez à l'intérieur de l'oie salée et poivrée.

- Recousez l'oie et mettez-la dans un plat à rôtir beurré. Faites cuire au four à 180 °C pendant 10 min puis badigeonnez-la de la graisse fondue.

- Faites cuire pendant encore environ 2 h en l'arrosant souvent au cours de la cuisson.

- Environ 30 min avant la fin, ajoutez les pommes restantes autour de l'oie.

- Sortez l'oie du four, posez le beurre restant dessus et laissez-le fondre. Découpez-la ensuite en morceaux et garnissez-la de carottes entières cuites à la vapeur.

Lorraine

Pâté à la viande

Intercalez de très fines lamelles de reste de bouilli de bœuf (ou de volaille) entre les couches de pommes de terre et de fines herbes.

Pâté à l'oignon

Remplacez les échalotes par des oignons jaunes pelés et finement émincés et l'estragon par un petit bouquet de ciboulette ou de vert d'oignon haché.

Pâté à la morue

Avant de remplir le moule de pommes de terre, étalez 200 g de morue pochée, sans peau ni arêtes et finement effeuillée, dans le fond. Vous pouvez aussi la mélanger aux pommes de terre.

Pâté aux crevettes

Avant de placer le reste de pâte feuilletée en couvercle, ajoutez environ 200 g de queues de crevettes roses décortiquées, badigeonnées d'un peu de beurre fondu sur le dessus de la garniture.

PÂTÉ DE POMMES DE TERRE

Préparation : 30 min • **Repos :** 20 min • **Cuisson :** 1 h • **Pour 6 personnes**

500 g de pâte feuilletée • 800 g de pommes de terre à chair ferme • 10 brins de ciboulette • 10 brins de persil • 1 branche d'estragon • 4 échalotes • 1 jaune d'œuf • 15 cl de crème fraîche • sel et poivre

● Garnissez une tourtière profonde de 26 cm de diamètre de 200 g de pâte feuilletée.

● Remplissez-la en alternant les pommes de terre pelées et coupées en fines rondelles qui se chevauchent, les fines herbes ciselées mélangées et les échalotes pelées finement émincées.

● Étalez la pâte feuilletée restante par-dessus et posez-la en couvercle en soudant les bords. Faites une cheminée sur le dessus avec une douille.

● Mettez la tourte dans le réfrigérateur pendant 20 min. Dorez le pâté au jaune d'œuf et rayez le dessus ave la pointe d'un couteau.

● Faites cuire au four à 200 °C pendant 20 min puis à 180 °C pendant 40 min. Versez la crème très chaude, salée et poivrée, par la cheminée et servez.

Limousin

PAUPIETTES DE CHOU FARCIES

Préparation : 50 min • **Cuisson :** 50 min • **Pour 6 personnes**

1 chou vert frisé • 100 g de jambon blanc • 200 g de lard de poitrine
• 200 g de chair à saucisse • 200 g de veau haché • 3 oignons
• 3 échalotes • 40 g de beurre • 1 tranche de pain de mie • lait • 1 œuf
• 1 l de bouillon de volaille • 25 cl de coulis de tomates • sel et poivre

- Lavez le chou et faites-le cuire pendant 15 min dans une grande marmite d'eau salée portée à ébullition. Plongez-le ensuite dans de l'eau froide puis égouttez-le à fond.

- Détachez les grandes feuilles une par une sans les déchirer. Extrayez les petites feuilles du cœur et hachez-les.

- Hachez le jambon et le lard, mélangez-les à la chair à saucisse et ajoutez le veau ainsi que le hachis de chou. Pelez et hachez les oignons et les échalotes.

- Faites-les revenir dans une cocotte avec le beurre pendant 3 min. Ajoutez la viande et faites cuire pendant 10 min.

- Retirez du feu et laissez refroidir. Imbibez le pain de mie de lait puis essorez-le et ajoutez-le à la farce ainsi que l'œuf. Salez et poivrez.

- Étalez les feuilles de chou en les doublant sur le plan de travail, répartissez la farce dessus et roulez-les.

- Faites-les cuire à la vapeur du bouillon de volaille pendant 25 min. Servez avec un coulis de tomates à l'ail.

Chou farci

Au lieu de confectionner des paupiettes, reconstituez le chou entier en glissant la farce entre les feuilles. Entourez-le de bardes de lard puis d'un torchon et faites-le pocher pendant 1 h.

Sauce aux noix

Réalisez une sauce aux noix en accompagnement. Mixez 200 g de cerneaux de noix avec 2 tranches de pain de mie trempées dans de l'eau et pressées. Ajoutez 2 gousses d'ail pressées et le jus de 2 citrons, salez et poivrez.

Salade de mâche

Servez les paupiettes de chou avec une salade de mâche assaisonnée d'une vinaigrette à l'huile de noisette, enrichie de petits dés de betterave cuite.

Chou farci aux marrons

Remplacez le jambon par quelques marrons cuits au naturel et brisés en menus morceaux. Ajoutez par ailleurs 2 gousses d'ail pressées à la farce.

Garnissez les paupiettes
de veau d'une purée de bananes
au poivre, ficelez-les
et faites-les dorer doucement
au beurre avec des carottes.
Parfumez le jus de cuisson
avec 1 c. à s. de rhum.

Paupiettes de veau
à la champenoise

Une fois les paupiettes cuites,
égouttez-les, enduisez-les
de moutarde, roulez-les dans
de la chapelure blanche et
faites-les griller doucement
pendant 10 min.

Paupiettes de veau
à la hongroise

Ajoutez 1 c. à c. de paprika
dans la chair à saucisse et
remplacez le bouillon de volaille
par du vin blanc. Servez les
paupiettes sur des croûtons
de pain frits au beurre.

Paupiettes de veau
aux champignons

Remplacez les foies de volaille
par le même volume de petits
champignons de couche
et servez les paupiettes avec
une fricassée de cèpes ou
de pleurotes au persil.

PAUPIETTES DE VEAU

Préparation : 30 min • **Cuisson :** 1 h 10 • **Pour 6 personnes**

*80 g de beurre • 1 oignon • 2 échalotes • 1 bouquet de persil plat
• 2 c. à s. de vin blanc • 400 g de chair à saucisse • 2 foies de volaille
• 6 escalopes de veau bien aplaties • 15 cl de bouillon de volaille
• sel et poivre*

- Faites revenir doucement dans 30 g de beurre l'oignon, les échalotes pelés et hachés et la moitié du persil haché en remuant.

- Ajoutez le vin blanc, faites mijoter pendant 5 min et retirez du feu.

- Mélangez le reste du persil haché avec la chair à saucisse, les foies de volaille coupés en très petits morceaux, l'oignon et les échalotes poêlés. Salez et poivrez.

- Répartissez cette farce sur les escalopes. Roulez-les et ficelez-les.

- Faites-les dorer dans le beurre restant, versez le bouillon et laissez mijoter doucement pendant 45 min.

- Égouttez-les et servez-les avec le fond de cuisson passé en saucière.

Lorraine

PIGEONS À LA SAINTONGEAISE

Préparation : 20 min • **Cuisson :** 45 min • **Pour 4 personnes**

2 carottes • 2 oignons • 50 g de beurre • huile • 800 g de petites pommes de terre grenailles • 2 gousses d'ail • 1 bouquet garni • 100 g de petits lardons maigres • 4 pigeons • 12 petits oignons grelots • 1 verre de vin blanc • 200 g de gros haricots blancs cuits au naturel • sel et poivre

● Faites étuver les carottes et les oignons pelés et émincés dans une sauteuse avec 15 g de beurre et 1 filet d'huile pendant 15 min.

● Ajoutez les petites pommes de terre pelées, mélangez, ajoutez l'ail pelé et haché et le bouquet garni, couvrez et faites cuire pendant 30 min. Salez et poivrez en fin de cuisson.

● Par ailleurs, faites fondre les lardons à sec dans une cocotte, ajoutez les pigeons salés et poivrés, ainsi que les petits oignons et le beurre restant.

● Faites colorer sur toutes les faces. Mouillez de vin blanc au bout de 12 min puis laissez mijoter à couvert pendant 20 min.

● Mettez alors les pigeons cuits et les petits oignons dans la sauteuse avec les pommes de terre. Ajoutez les haricots blancs et laissez-les chauffer doucement. Mélangez délicatement et servez bien chaud.

Pigeons à la niçoise

Faites dorer les pigeons au beurre puis faites-les mijoter pendant 15 min avec 18 petits oignons, ajoutez 200 g d'olives dénoyautées, 2 brins de sarriette et 10 cl de vin blanc et faites cuire pendant encore 15 min.

Pigeons en crapaudine

Fendez les pigeons sur le dos sans les séparer, faites-les mariner pendant 30 min dans une sauce persillade puis faites-les griller pendant 30 min sur des braises à chaleur modérée. Servez avec une salade de mâche.

Pigeons aux petits pois

Remplacez les petites pommes de terre nouvelles par 800 g de petits pois frais. Ajoutez-les en même temps que le vin blanc avec 3 à 4 petits cœurs de laitue.

Pigeons aux navets

Remplacez les pommes de terre par des navets nouveaux coupés en deux (ou laissés entiers s'ils sont très petits). Ajoutez également 1 poignée de petits champignons de couche bien nettoyés.

Pintade aux noisettes

Farcissez la pintade avec 200 g de chapelure mélangée à 100 g de noisettes concassées et 1 petit suisse. Faites-la rôtir et servez-la avec des choux de Bruxelles aux lardons.

Pintade aux marrons

Faites cuire la pintade en cocotte avec des lardons et des oignons émincés pendant environ 1 h 30 puis garnissez-la de marrons au naturel, réchauffés au beurre.

Pintade de Noël

Farcissez la pintade avec 2 croûtons de pain tartinés de foie gras et faites-la rôtir au four. Servez-la avec une fricassée de cèpes et de girolles.

Pintade à l'ail et à la bière

Farcissez la pintade de 2 ou 3 gousses d'ail et de quelques feuilles de sauge. Faites-la cuire en cocotte avec des carottes, des navets et des dés de potiron, le tout mouillé de 20 cl de bière pendant 1 h 15.

PINTADE AUX CHOUX

Préparation : 20 min • **Cuisson :** 1 h 30 • **Pour 4 personnes**

1 pintade de 1,2 kg prête à cuire • 100 g de lardons maigres
• 100 g de beurre • 1 carotte • 1 chou vert frisé de 1 kg • 2 gousses d'ail
• 1 feuille de laurier • 10 cl de crème fraîche • sel et poivre

● Salez, poivrez et bridez la pintade. Faites fondre les lardons dans une cocotte en fonte avec 50 g de beurre.

● Ajoutez la carotte pelée et coupée en rondelles en mélangeant puis les quartiers de chou blanchis pendant 6 min à l'eau bouillante et bien égouttés.

● Ajoutez les gousses d'ail en chemise et la feuille de laurier. Couvrez et laissez braiser doucement pendant 1 h.

● Enduisez la pintade avec le beurre restant et faites-la rôtir au four à 200 °C pendant 40 min.

● Mettez la pintade dans la cocotte (coupée en quatre si elle est trop grosse) parmi les quartiers de chou.

● Déglacez le plat de cuisson de la pintade avec la crème, versez le tout dans la cocotte et laissez mijoter pendant encore 30 min à couvert.

Rhône-Alpes

POÊLÉE DE PALOURDES AUX COCOS

Préparation : 20 min • **Cuisson :** 40 min • **Pour 4 personnes**

400 g de gros haricots blancs frais • 2 échalotes • 1 oignon
• 50 g de beurre • 2 douzaines de palourdes • 1 c. à s. de fleur de thym
• sel et poivre

● Rincez les haricots blancs. Pelez et émincez très finement les échalotes et l'oignon. Faites-les revenir dans une cocotte avec la moitié du beurre, ajoutez les haricots, couvrez d'eau froide puis portez doucement à ébullition.

● Laissez mijoter doucement pendant 30 min jusqu'à ce que les haricots deviennent tendres, mais sans se défaire. Poivrez, mais salez seulement en fin de cuisson.

● Pendant ce temps, lavez et brossez les palourdes. Mettez-les dans une grande marmite et faites-les ouvrir sur feu vif. Retirez-les et égouttez-les.

● Versez les haricots blancs cuits et bien égouttés dans une grande poêle où vous aurez fait fondre le beurre restant.

● Ajoutez les palourdes décoquillées (laissez-en 2 ou 3 dans leur coquille pour le décor).

● Saupoudrez de fleur de thym et laissez étuver doucement pendant 10 min avant de servir.

Poêlée de moules et de crevettes

Remplacez les palourdes par 1 douzaine de grosses moules de bouchot cuites et décoquillées et 200 g de grosses crevettes roses décortiquées et roulées dans du beurre de persil.

Pommes de terre sautées

Remplacez les haricots blancs par des pommes de terre à chair ferme cuites à l'eau puis taillées en petits dés et sautées rapidement dans 30 g de beurre demi-sel. Saupoudrez de ciboulette ciselée.

Palourdes farcies

Faites ouvrir les palourdes, retirez leur valve et rangez-les dans un grand plat. Recouvrez-les de 125 g de beurre mixé avec 4 gousses d'ail, 2 échalotes et 6 c. à s. de persil puis passez-les sous le gril pendant 4 min.

Palourdes aux poivrons

Remplacez les haricots blancs par 4 ou 5 poivrons grillés, ouverts en deux, épépinés et taillés en languettes. Assaisonnez-les d'une vinaigrette à l'huile d'olive et au jus de citron.

PORC À L'ANANAS

Préparation : 10 min • **Cuisson :** 1 h 30 • **Pour 6 personnes**

1 kg de carré de porc désossé et ficelé • 50 g de beurre
• 1 c. à s. d'huile d'arachide • 1 ananas • 2 c. à s. de sucre roux
• 1 c. à s. de rhum • sel et poivre

- Faites dorer le rôti dans une cocotte où vous aurez fait chauffer 20 g de beurre avec l'huile. Salez et poivrez, couvrez et continuez la cuisson au four à 200 °C pendant 1 h 30.

- Pelez l'ananas, évidez-le et coupez-le en rondelles. Faites chauffer le beurre restant dans une poêle et faites dorer 12 belles tranches d'ananas (gardez le reste pour une salade de fruits).

- Une dizaine de minutes avant la fin de la cuisson du rôti, ajoutez le sucre délayé dans un peu d'eau et les tranches d'ananas dans la cocotte. Couvrez et remettez au four.

- Prélevez les fruits et le rôti, découpez-le en tranches. Déglacez la cocotte avec le rhum et versez le jus obtenu en saucière.

- Servez le rôti sur un plat garni de tranches d'ananas, avec le jus à part.

Ananas et pommes

Ajoutez des quartiers de pommes citronnés et faites-les cuire en même temps que l'ananas. Servez les fruits à part en garniture, légèrement saupoudrés de cannelle.

Jambon à l'ananas

Remplacez le rôti de porc par des tranches épaisses de jambon cuit légèrement fumé. Faites-les juste étuver au beurre pendant 15 min et servez-les avec des tranches d'ananas au sirop, égouttées et réchauffées dans un peu de beurre.

Porc aux fruits exotiques

Complétez la garniture de rondelles d'ananas par des tranches de carambole et de papaye, réchauffées pendant 5 min dans un peu de jus du rôti.

Porc à l'ananas et aux tomates

Ébouillantez, pelez et concassez 2 grosses tomates, mélangez-les avec 3 clous de girofle pilés et ajoutez-les dans la cocotte en même temps que le sucre. Servez cette compotée avec les tranches d'ananas.

Antilles-Guyane

Préparation : 20 min • **Cuisson :** 4 h 30 • **Pour 8 personnes**

800 g de plat de côtes • 1 kg de carottes • 2 oignons • 2 clous de girofle
• 1 bouquet garni • 1 kg de gîte de bœuf • 800 g de culotte de bœuf
• 1 jarret de veau • 1 gros saucisson à cuire • 8 panais • 8 poireaux
• 8 pommes de terre • 8 tronçons d'os à moelle
• gros sel et poivre en grains

● Faites cuire le plat de côtes dans une grande marmite avec 5 l d'eau pendant 1 h.

● Écumez, ajoutez 2 carottes pelées et émincées, 1 oignon pelé et coupé en quartiers, le second pelé et piqué de clous de girofle, le bouquet garni, 15 grains de poivre et 1 poignée de gros sel.

● À la reprise de l'ébullition, ajoutez le gîte ficelé en rôti, la culotte de bœuf et le jarret de veau. Laissez cuire tranquillement pendant 3 h.

● Égouttez les viandes et filtrez le bouillon. Remettez les viandes dans la cocotte, le saucisson à cuire ainsi que les panais pelés et émincés et les poireaux parés et coupés en tronçons. Laissez mijoter pendant 30 min.

● Pendant ce temps, faites cuire à part les pommes de terre à l'eau.

● Environ 10 min avant la fin de la cuisson, faites pocher les tronçons d'os à moelle dans une casserole avec 50 cl de bouillon prélevé dans la marmite.

● Servez la viande et les légumes du pot-au-feu dans deux plats séparés, arrosés d'un peu de bouillon.

Pot-au-feu de canard

Remplacez les viandes par un canard farci de croûtons de pain tartinés de chair à saucisse. Comptez 2 h de cuisson et servez avec 1 purée de pommes de terre au céleri ou aux navets.

Pot-au-feu de saucisses

Remplacez les viandes par 1 gros saucisson de Morteau et 4 saucisses à pocher dans un bouillon de légumes. Choisissez comme légumes pour le pot des carottes, des panais et des navets.

Pot-au-feu de la mer

Remplacez les viandes par des morceaux de poissons à chair ferme, tels que la lotte, le cabillaud ou encore le congre (choisissez la partie près de la tête). Réduisez la cuisson à environ 1 h 20.

Pot-au-feu de volaille

Réalisez la recette sans les viandes, mais avec une cuisse de poulet fermier par personne. Faites cuire pendant environ 1 h 30. Servez avec une vinaigrette aux fines herbes et aux œufs durs hachés.

Île-de-France

Potée lorraine

Utilisez du lard maigre, du filet de porc, du chou, des carottes, des haricots blancs secs ou frais, des navets, du céleri en branches, des pommes de terre et des lentilles si vous le souhaitez.

Potée bourguignonne

Outre du lard et de la palette de porc, utilisez du jarret de porc, du chou, mais aussi, en plus des légumes de la potée, des haricots verts et des petits pois (au printemps).

Potée champenoise

Pour cette potée dite « des vendangeurs », utilisez du lard salé mi-gras et mi-maigre, du porc salé, du chou, des carottes, des navets, des rutabagas et des pommes de terre, et éventuellement des saucisses ou du jambon fumé.

Potée artésienne

Réalisez cette potée du Nord avec de la tête de porc, du lard demi-sel, de la poitrine de mouton, une andouille, les légumes de la potée, du chou vert et des haricots blancs.

POTÉE AUVERGNATE

Préparation : 1 h • Cuisson : 2 h 50 • Pour 6 personnes

400 g de lard de poitrine demi-sel • 1,2 kg de palette de porc demi-sel • 6 carottes • 3 navets • 6 blancs de poireaux • 2 branches de céleri • 2 oignons • 2 clous de girofle • 1 petit chou vert frisé • 2 c. à s. de saindoux • 1 bouquet garni • 2 gousses d'ail • 6 pommes de terre • 1 saucisson à cuire • sel et poivre

● Faites tremper les viandes dans une bassine d'eau pendant la préparation des légumes (pelés, parés et tronçonnés pour les carottes, navets, poireaux et céleri ; oignons pelés et piqués des clous de girofle ; ail pelé ; chou coupé en quartiers à faire blanchir pendant 5 min dans de l'eau bouillante puis bien égoutté).

● Faites chauffer le saindoux dans une grande marmite. Ajoutez les viandes bien égouttées et faites-les dorer doucement.

● Ajoutez les carottes, les navets, les poireaux, le céleri, les oignons, le bouquet garni et l'ail. Salez, poivrez et couvrez largement d'eau.

● Portez à ébullition, ajoutez le chou puis laissez cuire tranquillement pendant 2 h. Pelez les pommes de terre et ajoutez-les dans la marmite avec le saucisson.

● Poursuivez la cuisson pendant 30 min et servez la potée dans une grande soupière bien chaude après avoir coupé viandes et saucisson en morceaux.

Auvergne

POTÉE BRETONNE

Préparation : 30 min • **Cuisson :** 2 h 15 • **Pour 8 personnes**

2 oignons • 6 échalotes • 4 navets jaunes • 8 carottes • 4 poireaux
• 3 branches de céleri • 1 cœur de chou frisé • 800 g de poitrine de porc
fumée • 1 oreille de porc • 1 bouquet garni • 1 kg de palette de porc
fumée • 8 pommes de terre • 2 saucissons à cuire • gros sel et poivre
en grains • sel fin et poivre au moulin

● Parez et nettoyez tous les légumes, lavez-les, grattez-les ou pelez-les, laissez-les entiers, sauf le chou, coupé en quartiers. Versez 5 l d'eau dans une grande marmite et faites chauffer.

● Quand l'eau bout, ajoutez les oignons et les échalotes, les navets et les carottes, les blancs de poireaux, le céleri, la poitrine de porc, l'oreille de porc, 12 grains de poivre, 1 c. à s. de gros sel et le bouquet garni.

● Laissez cuire à petits bouillons de 20 à 25 min. Ajoutez alors la palette et le chou. Faites cuire pendant encore 1 h 15, puis ajoutez les pommes de terre et les saucissons. Faites cuire pendant 30 min.

● Égouttez les viandes et disposez-les dans un plat creux, poivrez. Égouttez les légumes et disposez-les tout autour, salez. Retirez et jetez le bouquet garni.

Bretagne

233

Vinaigrette
à l'huile de noix

Disposez les morceaux de poule sur un plat avec des portions de farce. Servez avec 5 cl d'huile de noix fouettée avec 5 cl d'huile de tournesol, 2 c. à s. de vinaigre de vin blanc, 2 c. à s. de ciboulette, du sel et du poivre.

Oie au pot

Remplacez la poule par une petite oie et le jambon de la farce par des lardons maigres fumés. Ajoutez également 12 feuilles de sauge ciselées et 1 oignon haché dans la farce.

Poulet au pot

Remplacez la poule par un gros poulet fermier. Ajoutez dans la farce quelques cubes de foie gras de canard mi-cuit et servez en même temps des croûtons de pain aillés.

Salade de scarole

Servez en même temps que la poule (ou le poulet) au pot de la scarole assaisonnée d'une vinaigrette à l'échalote et garnie de 6 œufs durs coupés en quartiers.

POULE AU POT

Préparation : 35 min • **Cuisson :** 2 h • **Pour 6 personnes**

1 poule de 2 kg • 2 échalotes • 100 g de jambon à l'os • 125 g de pain de campagne rassis • lait • 1 œuf • 2 pieds de veau • 800 g de cœurs de céleri • 6 carottes • 3 navets • 4 blancs de poireaux • 2 oignons • 1 clou de girofle • 1 bouquet garni • sel et poivre

● Salez et poivrez la poule vidée. Hachez le cœur, le foie et le gésier bien nettoyé. Mélangez ce hachis avec les échalotes pelées et ciselées, le jambon haché et le pain trempé dans un peu de lait et essoré.

● Liez avec l'œuf, salez et poivrez. Farcissez la poule de cette préparation et bridez-la. Mettez-la dans une grande marmite avec les pieds de veau en morceaux.

● Couvrez largement d'eau froide et portez lentement à ébullition. Écumez le bouillon au bout de 30 min.

● Ajoutez les légumes parés ou pelés et tronçonnés, l'oignon pelé et piqué du clou de girofle, le bouquet garni, puis faites bouillir à nouveau. Baissez le feu et laissez cuire pendant 1 h 30.

● Servez comme un pot-au-feu, avec le bouillon dégraissé à part et accompagné de cornichons.

POULET AU VIN JAUNE AUX MORILLES

Préparation : 20 min • **Cuisson :** 1 h • **Pour 6 personnes**

1 beau poulet fermier de 1,8 kg • farine • 80 g de beurre • 50 cl de vin jaune • 25 cl de crème fraîche • 500 g de morilles • sel et poivre

● Découpez la volaille en morceaux, salez, poivrez et farinez-les légèrement. Saisissez-les dans une cocotte avec le beurre chaud en les retournant.

● Couvrez et faites cuire au four à 210 °C pendant 20 min. Arrosez avec le vin en grattant bien les sucs de cuisson.

● Versez ensuite la crème fraîche et retournez les morceaux de volaille pour bien les enrober.

● Ajoutez les morilles bien nettoyées et égouttées. Poursuivez la cuisson sur feu moyen à découvert pendant 30 min. Goûtez et rectifiez l'assaisonnement avant de servir.

Poulet aux cèpes

Remplacez les morilles par des cèpes, chapeaux et pieds mélangés, sautés à l'huile puis mijotés avec des échalotes et 1 pointe d'ail. Supprimez la crème.

Poulet aux huîtres

Faites sauter les morceaux de poulet au beurre puis garnissez-les avec 12 huîtres décoquillées. Déglacez le récipient de cuisson avec l'eau des huîtres, 10 cl de vin blanc et 10 cl de crème fraîche.

Poulet à l'estragon

Faites sauter les morceaux de poulet dans un mélange d'huile et de beurre. Déglacez le récipient de cuisson avec 15 cl de vin blanc et ajoutez 4 c. à s. d'estragon ciselé.

Poulet à l'artichaut

Remplacez les morilles par des fonds d'artichauts cuits au naturel, juste revenus dans 25 g de beurre et additionnés de 5 c. à s. de persil plat finement ciselé.

Franche-
Comté

Thon à la basquaise

Remplacez le poulet par 1 épaisse darne de thon blanc, marinée au jus de citron puis mijotée à l'huile d'olive et au vin blanc pendant 50 min, avec le mélange de tomates aux poivrons.

Rognons à la basquaise

Remplacez le poulet par 2 rognons de veau parés et dégraissés. Faites-les griller de 5 à 6 min de chaque côté puis ajoutez le mélange de tomates aux poivrons.

Escalopes à la basquaise

Remplacez le poulet par 4 escalopes de veau assez épaisses, dorées à la poêle à l'huile et au beurre puis ajoutez le mélange de tomates aux poivrons.

Côtes de porc à la basquaise

Remplacez le poulet par des côtes de porc assez épaisses, fendues dans l'épaisseur et farcies d'un peu de jambon de Bayonne, cuites à la poêle puis ajoutez le mélange de tomates aux poivrons.

POULET SAUTÉ BASQUAISE

Préparation : 30 min • **Cuisson :** 1 h • **Pour 6 personnes**

1 poulet fermier de 1,5 kg coupé en morceaux • 150 g de jambon de Bayonne • 10 cl d'huile d'olive • 4 oignons • 4 tomates • 2 gousses d'ail • 1 bouquet garni • 4 poivrons • 10 cl de vin blanc sec • 12 olives noires (facultatif) • sel et poivre • piment d'Espelette

- Salez et poivrez les morceaux de poulet, saupoudrez-les d'un peu de piment. Faites revenir le jambon coupé en lanières avec 5 cl d'huile d'olive dans une grande cocotte.

- Égouttez les lanières de jambon et réservez-les. Mettez les morceaux de poulet à leur place et faites-les bien dorer en les retournant. Retirez la cocotte du feu.

- Faites blondir les oignons pelés et émincés dans un poêlon avec 2 cl d'huile, ajoutez les tomates concassées, l'ail pelé et haché et le bouquet garni.

- Laissez mijoter pendant 15 min. Faites revenir les poivrons pelés et taillés en lanières dans un poêlon avec l'huile restante.

- Arrosez les morceaux de poulet de vin blanc et remettez la cocotte sur le feu en ajoutant le jambon, les tomates à l'oignon, les poivrons ainsi que les olives dénoyautées si vous le désirez. Salez et pimentez.

- Couvrez et laissez mijoter pendant 30 min. Retirez le bouquet garni avant de servir.

Aquitaine

RAGOÛT DE PENNE

Préparation : 20 min • **Cuisson :** 30 min • **Pour 4 personnes**

huile d'olive • 400 g de reste de rôti • 2 oignons • 1 c. à s. de concentré de tomates • thym • 250 g de penne rigate • 1 bouquet de persil plat • 3 gousses d'ail • quelques feuilles de basilic • sel et poivre

● Faites chauffer un peu d'huile dans une cocotte. Ajoutez le reste de viande taillé en dés et les oignons pelés et émincés en les mélangeant. Faites revenir le tout sans trop laisser colorer.

● Ajoutez le concentré de tomates puis versez 1,2 l d'eau bouillante. Portez à ébullition, salez et poivrez. Ajoutez 1 pincée de thym.

● Lorsque l'eau se met à bouillir, ajoutez les pâtes et laissez cuire de 12 à 15 min.

● Pendant les dernières minutes de cuisson, incorporez le persil finement haché avec les gousses d'ail pelées et pressées et le basilic ciselé.

● Mélangez délicatement et servez dans un plat creux bien chaud.

Gratin de ris de veau

Détaillez les ris de veau en tranches et rangez-les dans un plat en alternant avec des champignons émincés. Nappez de crème, saupoudrez de chapelure et faites gratiner au four.

Ris de veau aux raisins

Faites cuire les ris de veau comme dans la recette mais garnissez-les de gros grains de muscat pelés et épépinés en fin de cuisson. Déglacez le jus de cuisson avec 4 c. à s. de madère et 10 cl de jus de raisin.

Ris de veau grillés

Blanchissez et parez les ris de veau, badigeonnez-les de beurre clarifié et faites-les griller au four en les retournant. Servez-les avec une salade verte ou des petits pois.

Ris de veau panés

Faites blanchir les ris de veau, parez-les, passez-les dans 2 œufs battus puis dans de la chapelure mélangée à un peu de parmesan. Faites-les dorer à la poêle en les retournant plusieurs fois.

RIS DE VEAU AUX MORILLES

Préparation : 30 min • **Trempage :** 3 h • **Cuisson :** 40 min
Pour 4 personnes

4 noix de ris de veau • 2 carottes • 2 oignons • 200 g de beurre • 400 g de morilles • 30 cl de crème fraîche • sel et poivre

- Parez les ris de veau et faites-les dégorger dans de l'eau froide pendant 3 h, rincez-les et épongez-les.

- Faites cuire les carottes pelées et émincées, les oignons pelés et ciselés dans une cocotte avec 150 g de beurre pendant 5 min, salez et poivrez.

- Ajoutez les ris de veau et laissez cuire doucement pendant 30 min en les retournant plusieurs fois.

- Pendant ce temps, nettoyez les morilles et faites-les sauter doucement dans une casserole avec le beurre restant, ajoutez la crème fraîche, salez et poivrez.

- Laissez mijoter pendant 20 min. Égouttez les ris de veau et passez le jus de cuisson, faites-le réduire de moitié.

- Ajoutez les ris de veau et leur jus dans les morilles à la crème. Faites étuver doucement pendant 5 min. Rectifiez l'assaisonnement et servez chaud.

RISOTTO AUX COQUILLAGES

Préparation : 1 h • **Cuisson :** 25 min • **Pour 4 personnes**

1 grosse poignée de coques • 12 palourdes • 24 moules • vin blanc sec
• laurier • thym sec • 1 oignon • huile • 200 g de riz à grains longs
• 8 noix de saint-jacques • 24 noix de pétoncles • 1 citron
• herbes fraîches • fromage de brebis • sel et poivre

- Grattez, brossez et lavez les coquillages. Mettez les coques, les palourdes et les moules dans une marmite avec quelques cuillerées de vin blanc, 1 feuille de laurier et 1 brin de thym.

- Couvrez et faites-les ouvrir sur feu très vif en faisant sauter le contenu. Égouttez et décoquillez les coquillages. Filtrez le jus.

- Faites fondre l'oignon pelé et émincé dans une sauteuse avec un peu d'huile en remuant pendant 2 min, ajoutez le riz et mélangez pendant 3 min.

- Versez le jus de cuisson des coquillages dans la sauteuse et complétez le mouillement avec de l'eau pour couvrir le riz juste à hauteur. Couvrez et faites cuire doucement pendant 12 min.

- Faites pocher les noix de saint-jacques et de pétoncles dans un peu d'eau bouillante citronnée pendant 1 min environ. Ciselez 1 poignée d'herbes fraîches (persil, cerfeuil et menthe).

- Ajoutez 2 c. à s. de fromage de brebis râpé au riz cuit et répartissez-le dans des assiettes, ajoutez les coquillages en garniture et parsemez de fines herbes. Servez aussitôt.

Risotto aux encornets

Remplacez les palourdes et les moules par 8 petits encornets parés, vidés et coupés en lanières, revenus à la poêle dans 2 c. à s. d'huile d'olive.

Risotto aux sardines

Remplacez les noix de saint-jacques et les pétoncles par 12 sardines à l'huile d'olive, bien égouttées, coupées en deux dans la longueur et incorporées au dernier moment.

Risotto aux crevettes

Ajoutez 8 grosses crevettes roses décortiquées et étêtées, coupées en deux et enrobées de persillade au mélange de fruits de mer au dernier moment.

Risotto aux lardons

Remplacez le fromage de brebis par des petits lardons fumés, rissolés à sec dans une petite poêle jusqu'à ce qu'ils deviennent bien croustillants.

Rôti de porc aux fruits

Remplacez les pommes par un mélange de tranches d'ananas et de demi-poires pochées, légèrement caramélisées. Déglacez le jus de cuisson du rôti avec le cidre additionné d'un trait de rhum.

Rôti de porc à la bayonnaise

Piquez le rôti de petits éclats d'ail et faites-le cuire à l'huile d'olive. Remplacez le cidre par du vin blanc. Servez avec des pommes de terre et des cèpes sautés à la graisse d'oie.

Rôti de porc à la gasconne

Faites mariner le rôti dans un mélange d'huile d'olive, de vinaigre de vin blanc et d'ail pressé. Égouttez-le et faites-le rôtir en l'arrosant de marinade. Ajoutez 12 olives vertes dénoyautées en fin de cuisson.

Sauce charcutière

Faites cuire le porc au vin blanc. Servez avec 3 c. à s. d'oignons pelés, hachés et poêlés avec 1 c. à s. de saindoux. Saupoudrez de 1 c. à s. de chapelure, ajoutez 40 cl de bouillon de bœuf, laissez mijoter pendant 20 min et ajoutez 4 cornichons hachés.

RÔTI DE PORC AU CIDRE

Préparation : 5 min • Cuisson : 1 h 30 • Pour 4 personnes

50 g de beurre • 2 c. à s. d'huile d'arachide • 1 rôti de porc de 1,2 kg • 1 gros oignon • 70 cl de cidre brut • 1 bouquet garni riche en queues de persil • 4 pommes à cuire • sel et poivre

● Faites chauffer 25 g de beurre et l'huile dans une cocotte. Faites dorer le rôti en le retournant pendant 15 min. Retirez-le. Faites revenir l'oignon pelé et finement émincé à sa place.

● Versez le cidre, mélangez puis remettez le rôti dans la cocotte. Salez et poivrez, ajoutez le bouquet garni et couvrez. Laissez mijoter à couvert pendant 1 h 15.

● Pendant ce temps, pelez les pommes, badigeonnez-les avec le beurre fondu restant et faites-les cuire à couvert dans une casserole sur feu doux pendant 25 min, en montant le feu durant les dernières minutes de cuisson pour bien les colorer.

● Égouttez le rôti dans un plat creux. Faites réduire le jus de cuisson. Salez et poivrez. Versez cette sauce sur la viande et les pommes et servez aussitôt.

Normandie

Rôti de porc aux pommes

Au lieu de garnir le rôti de pruneaux, servez-le cuit au four puis nappé de sauce et accompagné de pommes cuites au four au beurre, farcies au centre de pruneaux dénoyautés.

Rôti de porc à la moutarde

Supprimez les pruneaux et badigeonnez le rôti de moutarde à l'ancienne. Faites-le cuire au four en l'arrosant souvent avec son jus. Servez-le avec un gratin dauphinois (voir p. 62).

Rôti de porc aux cinq-épices

Avant de faire cuire le rôti, frottez-le sur toutes les faces avec 2 gousses d'ail pilées avec 2 échalotes, 1 c. à s. de sauce soja foncée et 1 c. à c. de cinq-épices. Laissez reposer pendant 30 min avant de le faire cuire en arrosant avec un peu de bouillon.

Topinambours au beurre

Servez le rôti de porc aux pruneaux avec 750 g de topinambours parés, blanchis, égouttés et cuits dans 40 g de beurre pendant environ 30 min. Saupoudrez de persil haché.

RÔTI DE PORC AUX PRUNEAUX

Préparation : 25 min • **Trempage :** 12 h • **Cuisson :** 1 h 50
Pour 6 personnes

600 g de gros pruneaux • thé • 1 kg de rôti de porc dans le filet • 80 g de beurre • 15 cl de vin blanc sec • 1 c. à s. de sucre en poudre • 15 cl de crème fraîche épaisse • sel et poivre

● Faites tremper les pruneaux dans le thé pendant 12 h.

● Incisez le rôti en plusieurs endroits et glissez les pruneaux dénoyautés dedans.

● Faites cuire le filet de porc badigeonné de beurre fondu, salé et poivré au four à 220 °C pendant 45 min en l'arrosant plusieurs fois avec le vin blanc mélangé avec le sucre.

● Découpez le rôti de porc. Nappez les tranches du jus de cuisson de la viande, déglacé avec un peu de vin blanc et la crème fraîche, salez et poivrez.

ROUGAIL DE SAUCISSES

Préparation : 20 min • **Cuisson :** 30 min • **Pour 6 personnes**

800 g de saucisses de Morteau • 300 g d'oignons • 3 gousses d'ail • 300 g de tomates • 1 poivron rouge • 25 g de gingembre • huile • 1 c. à c. de curcuma • sel

- Faites blanchir les saucisses dans une casserole d'eau bouillante deux fois de suite puis égouttez-les et coupez-les en gros tronçons.

- Pelez et émincez les oignons et l'ail. Ébouillantez, pelez et concassez les tomates. Épépinez et émincez le poivron. Pelez et hachez le gingembre.

- Faites chauffer 2 à 3 c. à s. d'huile dans une sauteuse, ajoutez les oignons et l'ail, faites revenir en remuant pendant 5 min puis ajoutez les tomates et le curcuma.

- Mélangez et faites cuire pendant encore 5 min puis ajoutez les tronçons de saucisses. Couvrez et laissez mijoter pendant environ 15 min.

- Incorporez enfin le poivron et le gingembre, salez légèrement et poursuivez la cuisson à feu doux en remuant de temps en temps pendant encore 5 min.

- Servez avec du riz ou des lentilles cuites au naturel et un rougail de piments ou de tomates, selon le goût.

Rougail de tomates

Pilez 1 gros oignon haché avec 15 g de gingembre pelé et quelques pincées de sel. Incorporez 4 tomates pelées et concassées, le jus de 1 citron vert et 1 petit piment haché.

Rougail de poulet

Remplacez les saucisses par des cuisses de poulet pochées à part au bouillon pendant 35 min puis égouttées. Ajoutez-les environ 15 min avant la fin de la cuisson.

Rougail de harengs

Remplacez les saucisses par des harengs fumés, coupés en morceaux et incorporés dans le plat environ 10 min avant de servir. Ajoutez éventuellement 4 c. à s. de riz cuit en même temps.

Rougail d'aubergines

Remplacez les saucisses par des demi-aubergines dégorgées au sel et grillées au four pendant environ 15 min. Incorporez 1 c. à s. de gingembre en poudre en même temps.

Préparation : 5 min • **Cuisson :** 20 secondes • **Pour 6 personnes**

24 sardines extra-fraîches • huile • beurre frais • pain de campagne • sel fin

● Videz les sardines. Ne les écaillez pas, ne coupez pas non plus les têtes. Huilez un gril en fonte ou la grille d'un barbecue. La chaleur des braises doit être assez vive.

● Posez les sardines sur le gril et comptez lentement jusqu'à 10 ou 12. Retournez-les et faites-les cuire de la même façon de l'autre côté.

● Salez-les et servez-les aussitôt après leur avoir éventuellement coupé la tête.

● Proposez en même temps du beurre des Charentes et du pain de campagne (ou des pommes de terre cuites sous la cendre).

● Vous pouvez aussi les servir avec une salade de poivrons rouges et oranges coupés en languettes assaisonnée d'une vinaigrette au persil.

Sardines au vin blanc

Rangez les sardines vidées sur un lit d'échalotes finement émincées dans un plat en terre beurré. Arrosez de vin blanc, ajoutez quelques parcelles de beurre et faites cuire au four à 200 °C pendant 20 min.

Feuilleté aux sardines

Une fois les sardines grillées, déposez-les sur une fine abaisse de feuilletage, recouvrez-les d'une autre abaisse, fine également, dorez à l'œuf et faites cuire au four à 140 °C pendant 10 min.

Rillettes de sardines

Retirez les têtes et les arêtes des sardines grillées puis pilez-les avec 300 g de beurre demi-sel et 1 c. à s. de poivre noir concassé. Tassez les rillettes dans des pots en grès et gardez-les pendant 1 semaine au réfrigérateur.

Sardines en escabèche

Faites dorer à l'huile des petites sardines vidées et étêtées, rangez-les dans un plat et versez 4 gousses d'ail émincées frites dans 10 cl d'huile par-dessus. Ajoutez 5 c. à s. de vinaigre, salez et poivrez. Laissez refroidir complètement.

Petit salé aux lentilles

Faites tremper 600 g d'échine de porc demi-sel, 500 g de travers de porc demi-sel et 1 petit jarret de porc demi-sel à l'eau pendant 1 h puis faites-les cuire au bouillon pendant encore 1 h.

Saumon aux lentilles

Faites cuire des darnes de saumon à la poêle dans du beurre chaud. Servez-les bien dorées, avec la peau croustillante, accompagnées des lentilles.

Cervelas aux lentilles

Laissez tiédir les lentilles cuites puis assaisonnez-les d'une vinaigrette légère à l'échalote pour les servir avec des rondelles de cervelas à la pistache.

Curry de lentilles au poulet

Ajoutez 1 c. à s. de curry doux et mélangez intimement dans la cuisson des lentilles. Servez-les très chaudes en garniture de cuisses de poulet pochées dans du bouillon avec des tronçons de céleri.

SAUCISSES AUX LENTILLES

Préparation : 25 min • **Cuisson :** 2 h 20 **Pour 6 personnes**

700 g de lentilles du Puy • 2 oignons • 2 clous de girofle • 2 gousses d'ail • 1 bouquet garni • 2 carottes • 200 g de céleri-rave • 6 saucisses de porc • 50 g de beurre • sel et poivre

- Réunissez les lentilles, les oignons pelés et piqués de clous de girofle, l'ail, le bouquet garni, les carottes et le céleri pelés et coupés en dés dans une casserole.

- Couvrez d'eau, faites bouillir puis laissez mijoter pendant 40 min.

- Égouttez les lentilles, les carottes et le céleri, jetez les oignons piqués et le bouquet garni. Tenez-les au chaud. Pendant la fin de la cuisson des lentilles, faites cuire les saucisses.

- Piquez les saucisses de toutes parts et faites-les poêler au beurre en les retournant très souvent pour qu'elles dorent sur toutes les faces.

- Réunissez dans une cocotte les saucisses et les lentilles aux légumes, salez légèrement et poivrez. Laissez mijoter doucement pendant 10 min. Servez très chaud.

Auvergne

SAUCISSES DE MORTEAU AUX LENTILLES

Préparation : 10 min • **Trempage :** 1 h • **Cuisson :** 45 min
Pour 4 personnes

250 g de lentilles • 1 oignon • 1 carotte • 15 g de beurre • 2 saucisses de Morteau de 250 g chacun • 10 cl de vin blanc sec • sel et poivre

- Triez et lavez les lentilles puis faites-les tremper à l'eau froide pendant 1 h.

- Pelez et émincez l'oignon et la carotte. Faites-les revenir au beurre dans une cocotte en remuant pendant 5 min. Ajoutez les lentilles et versez 1 fois leur volume d'eau.

- Mélangez, couvrez et faites cuire à feu doux pendant 40 min. Au bout de 20 min, ajoutez les saucisses de Morteau, salez légèrement et poivrez.

- Ajoutez le vin blanc et finissez de cuire doucement à couvert. Servez les saucisses sur le lit de lentilles bien égouttées.

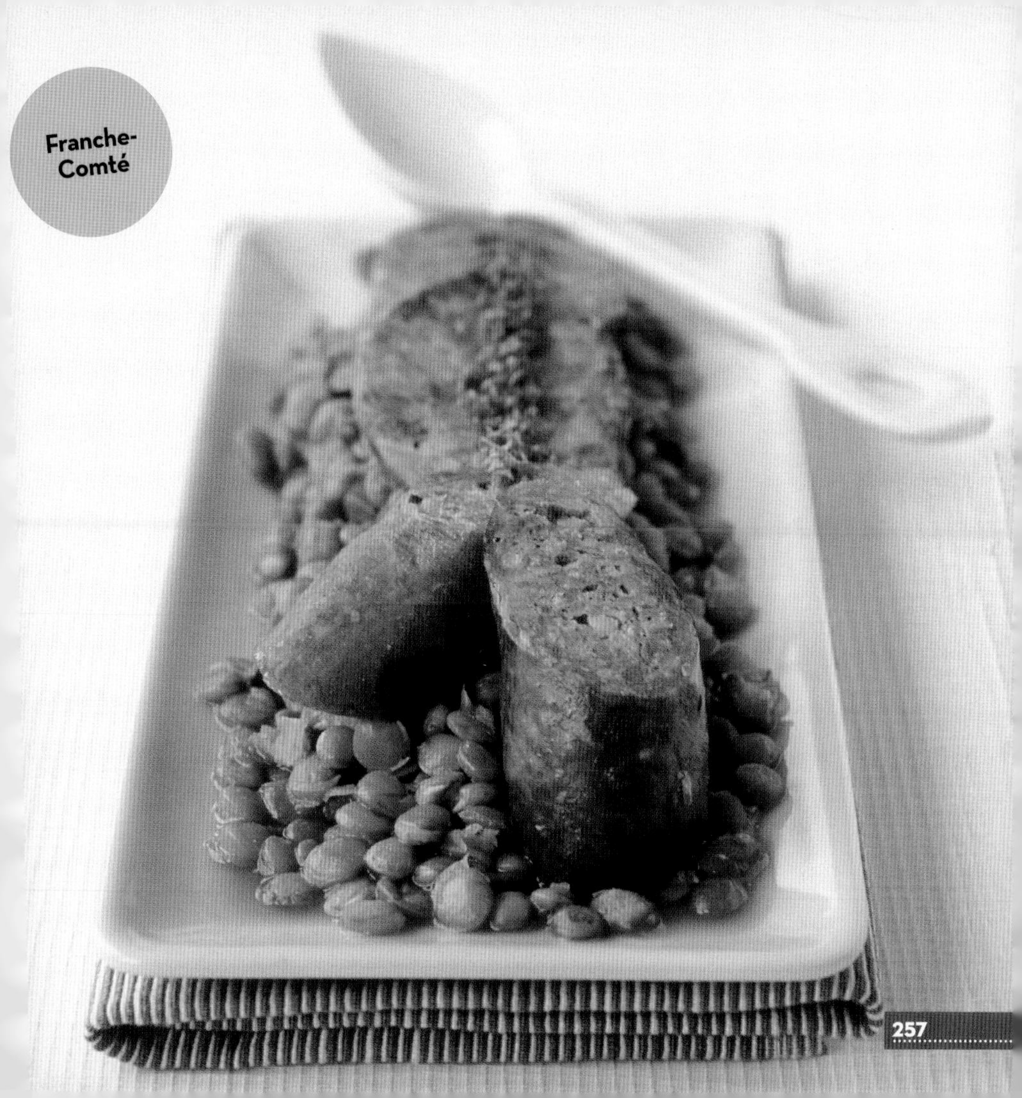

Franche-Comté

Sole à la normande

Faites pocher les soles dans un fumet de poisson. Nappez-les de sauce à la crème et garnissez-les de crevettes décortiquées et de moules cuites décoquillées ainsi que de pluches de cerfeuil et de persil.

Grillade de sole

Salez et poivrez la sole, passez-la dans l'huile sur les deux faces, égouttez-la bien et faites-la griller pendant 5 min de chaque côté. Servez avec une sauce béarnaise.

Sole à l'orange

Faites cuire la sole meunière et garnissez-la de minces rondelles d'orange pelées à vif et nappées de beurre fondu additionné d'un peu de crème et de 1 trait de curaçao.

Soles au vermouth

Faites pocher 8 filets de soles dans 20 cl de fumet parfumé avec 10 cl de vermouth pendant 10 min. Égouttez-les et servez-les avec des champignons cuits au beurre et le jus de cuisson passé, réduit et lié avec 4 c. à s. de crème fraîche.

SOLE MEUNIÈRE

Préparation : 15 min • Cuisson : 10 min • Pour 1 personne

1 sole de 500 g environ • farine • 80 g de beurre salé • huile d'arachide • 2 citrons • quelques brins de persil • sel et poivre

● Retirez la peau foncée de la sole et laissez-la entière. Épongez-la, farinez-la légèrement en ajoutant à la farine un peu de sel et de poivre.

● Faites chauffer 35 g de beurre dans une poêle ovale avec 1 filet d'huile. Posez la sole dedans, côté peau contre le fond.

● Faites cuire la sole de 4 à 5 min sur chaque face.

● Posez-la dans une grande assiette chaude, arrosez-la de jus de citron et parsemez-la de persil ciselé.

● Faites fondre le beurre restant dans la poêle, laissez-le chauffer pendant quelques secondes et arrosez la sole de ce beurre. Servez avec des quartiers de citron.

Normandie

Steak Rossini

Choisissez des tranches de steak épaisses, saisissez-les au beurre et servez-les avec, sur chacune d'elles, 1 tranche de foie gras et 1 lamelle de truffe noire.

Steak à la lyonnaise

Faites fondre 4 oignons jaunes pelés et finement émincés dans 2 c. à s. de beurre et 1 filet d'huile. Saisissez les steaks et servez-les sur la fondue d'oignons avec une salade de pissenlit à la vinaigrette.

Steak Bercy

Servez les steaks bien saisis avec un beurre d'échalotes (réalisé en malaxant 125 g de beurre avec 1 c. à s. de vin blanc, 4 échalotes pelées et ciselées et 4 c. à s. de persil haché, sel et poivre).

Steak à la bordelaise

Faites griller les steaks et servez-les recouverts de tranches de moelle de bœuf pochées à l'eau salée, avec 1 noix de beurre frais et du persil haché.

STEAK AU POIVRE

Préparation : 10 min • **Repos :** 15 min • **Cuisson :** 8 min
Pour 4 personnes

4 tranches épaisses de filet de bœuf de 180 g chacune • cognac
• 4 c. à s. de poivre noir concassé • 30 g de beurre • 15 cl de crème
fraîche • sel fin

● Passez les steaks des deux côtés dans la moitié du cognac puis passez-les dans le poivre concassé en appuyant bien.

● Laissez reposer à température ambiante pendant 15 min. Faites chauffer le beurre dans une grande poêle.

● Posez les steaks dedans, salez légèrement et saisissez-les pendant 2 min de chaque côté sur feu assez vif.

● Flambez-les au cognac puis mettez-les sur un plat chaud.

● Videz le beurre de cuisson, ajoutez la crème et déglacez sur feu vif, puis nappez les steaks de cette sauce.

Steak aller-retour

Aplatissez légèrement
la portion de viande en palet
et faites-la juste colorer
pendant 1 min sur les deux
faces dans du beurre chaud.

Tartare de saumon

Remplacez la viande de bœuf
par du filet de saumon frais
détaillé en très petits dés
et mélangés à de la ciboulette.
Supprimez l'œuf et conservez
les autres condiments.

Tartare de saint-jacques

Remplacez la viande de bœuf
par des noix de saint-jacques
extra-fraîches coupées en fines
lamelles (ou en petits dés)
et servez-les sur des assiettes
froides avec de la mayonnaise,
de la moutarde douce, des fines
herbes et des câpres.

Tartare de tomates aux olives

Remplacez la viande de bœuf
par 800 g de grosses tomates
charnues, ébouillantées, pelées
et taillées en petits dés.
Supprimez l'œuf et proposez
du pesto vert, du pesto noir et
des quartiers de tomates
séchées en accompagnement.

TARTARE DE BŒUF

Préparation : 15 min • Pas de cuisson • Pour 4 personnes

600 g de bifteck haché extra-frais • 1 c. à s. de moutarde forte
• 4 c. s à s. d'huile d'olive • 1 c. à c. de sauce Worcestershire
• 4 jaunes d'œufs extra frais • 100 g de câpres • persil plat haché
• 2 oignons • ketchup • sel et poivre

● Mettez la viande hachée dans un saladier, ajoutez la moutarde,
l'huile et la sauce anglaise, salez et poivrez, mélangez de 3 à 4 min
avec une fourchette.

● Répartissez la viande crue aromatisée sur 4 assiettes.

● Creusez légèrement le dessus et déposez un jaune d'œuf sur chaque
tartare.

● Ajoutez à côté un petit tas de persil haché et d'oignon pelé et haché.

● Proposez à part du ketchup et de la moutarde pour compléter
l'assaisonnement.

● Le steak tartare se sert en général avec des frites et une salade verte.

Île-de-France

263

TARTIFLETTE

Préparation : 20 min • **Cuisson :** 50 min • **Pour 4 personnes**

800 g de pommes de terre • 2 oignons • 2 c. à s. de beurre
• 1 c. à s. d'huile • 200 g de petits lardons maigres • 1 reblochon
• sel et poivre

- Pelez, lavez et épongez les pommes de terre. Coupez-les en rondelles. Pelez et émincez les oignons. Faites chauffer le beurre et l'huile dans une grande poêle à rebords.

- Ajoutez les pommes de terre et laissez-les dorer en les retournant puis ajoutez les oignons et les lardons. Laissez cuire pendant 30 min en tout.

- Mélangez intimement, ne salez pas trop et poivrez. Réservez.

- Coupez le reblochon en morceaux. Versez la moitié du mélange aux pommes de terre dans un plat à gratin.

- Ajoutez la moitié du reblochon, recouvrez avec le reste des pommes de terre aux lardons et les morceaux de reblochon restants. Faites gratiner au four à 180 °C pendant environ 20 min.

Crêpes « tartiflette »

Supprimez les pommes de terre et répartissez les oignons rissolés avec les lardons et les tranches de reblochon sur des crêpes de sarrasin. Repliez les crêpes, ajoutez 1 noix de beurre et faites cuire au four pendant 5 min.

Tartiflette aux champignons

Ajoutez 1 poignée de mousserons bien nettoyés ou de petites girolles (sans la base du pied terreux) aux oignons et aux lardons au moment de les mélanger avec les pommes de terre.

Tartiflette à l'auvergnate

Remplacez le reblochon par du cantal demi-jeune ou du salers et les lardons maigres par des lardons fumés. Servez avec une salade de chicorée frisée aux noix.

Pommes de terre farcies

Mélangez les oignons fondus avec les lardons. Garnissez-en des pommes de terre cuites dans leur peau et évidées, recouvrez de lamelles de reblochon et passez sous le gril.

TÊTE DE VEAU RAVIGOTE

Préparation : 20 min • **Cuisson :** 1 h 30 • **Pour 4 personnes**

2 sachets de court-bouillon • 2 citrons • 800 g de tête de veau désossée, roulée et ficelée • 1 petit bouquet de persil plat • 2 branches de céleri • 2 œufs • 1 c. à c. de moutarde • 20 cl d'huile de maïs • 8 cl de crème fleurette • sel et poivre

● Délayez les sachets de court-bouillon dans une marmite avec 2 l d'eau et le jus de 1 citron. Ajoutez la tête de veau.

● Portez doucement à ébullition, ajoutez 4 brins de persil et le céleri tronçonné. Laissez cuire pendant 1 h 30.

● Pendant ce temps, faites cuire les œufs dans de l'eau bouillante pendant 10 min, ouvrez-les en deux et passez les jaunes au tamis dans une jatte.

● Ajoutez la moutarde et le jus du second citron. Versez l'huile en fouettant vivement. Incorporez 4 c. à s. de persil ciselé. Salez et poivrez.

● Incorporez enfin 1 blanc d'œuf dur finement haché et la crème en fouettant. Égouttez la tête de veau, retirez la ficelle et coupez-la en tranches épaisses sur un plat chaud.

● Nappez de sauce et servez la sauce restante à part.

Remplacez la chair à saucisse
par des champignons parés,
nettoyés et hachés, mélangés
à 1 bouquet de ciboulette
et 2 œufs durs hachés.

Remplacez la farce à la chair
à saucisse par une salade de riz
(cuit) au thon et aux olives
noires dénoyautées. Ne faites
pas cuire et servez en entrée
froide.

Faites une macédoine
de légumes cuits à la vapeur
(petits pois, haricots verts
tronçonnés, carottes et pommes
de terre coupés en petits dés).
Liez-les à la mayonnaise
et remplissez les tomates
de ce mélange. Servez
en entrée froide.

Faites cuire 200 g de riz
pilaf et mélangez-le avec
200 g de reste de poulet rôti.
Assaisonnez avec 1 c. à s.
de concentré de tomates
et remplissez les tomates crues
évidées de ce mélange.

TOMATES FARCIES
À LA CHARCUTIÈRE

Préparation : 25 min • **Cuisson :** 30 min • **Pour 6 personnes**

6 belles tomates assez grosses rondes et fermes • 1 gousse d'ail
• 2 oignons • 40 g de beurre • 400 g de chair à saucisse fine • 6 brins
de persil plat • 40 g de chapelure • 1œuf • huile de maïs • sel et poivre

● Coupez un chapeau sur le haut des tomates et videz tout l'intérieur
à la petite cuillère. Salez et poivrez, réservez-les, retournées
sur un torchon.

● Faites revenir l'ail et les oignons pelés et hachés à la poêle avec
le beurre pendant 3 min, ajoutez la chair à saucisse et faites cuire
en remuant pendant 10 min. Retirez du feu.

● Incorporez le persil haché, la chapelure puis l'œuf à cette farce,
salez et poivrez. Remplissez les tomates de cette préparation
en faisant un petit dôme.

● Rangez-les dans un plat à gratin huilé, posez les chapeaux dessus
et arrosez-les avec 1 filet d'huile.

● Faites cuire au four à 220 °C pendant 15 min. Servez aussitôt.

TOURIN

Préparation : 20 min • **Cuisson :** 50 min • **Pour 6 personnes**

4 gros oignons • 3 gousses d'ail • 30 g de graisse d'oie • 20 g de farine • 3 gros œufs • 12 fines tranches de pain de campagne ou de seigle • sel et poivre

- Pelez et émincez finement les oignons. Pelez et écrasez les gousses d'ail.

- Faites fondre la graisse d'oie dans une poêle, ajoutez les oignons et faites-les fricasser en remuant sans laisser colorer, sinon le bouillon prendra un goût amer.

- Quand ils ont blondi, ajoutez l'ail et mélangez. Tenez au chaud.

- Par ailleurs, faites bouillir 1,5 l d'eau dans une marmite.

- Saupoudrez la fricassée d'oignons à l'ail avec la farine et laissez colorer pendant 2 min.

- Prélevez un peu d'eau bouillante dans la marmite et délayez la fricassée puis versez le tout dans la marmite. Salez et poivrez.

- Laissez le tourin cuire doucement pendant environ 40 minutes.

- Environ 10 min avant de servir, faites pocher les œufs dans un peu de bouillon.

- Disposez les tranches de pain très fines dans des assiettes creuses bien chaudes, versez le tourin dessus et ajoutez un œuf poché.

Tourin à la tomate

Ajoutez 3 tomates ébouillantées, pelées et taillées en fines lamelles, mélangées avec 4 c. à s. de basilic frais ciselé dans le tourin une fois la fricassée d'oignons farinée.

Tourin aux champignons

Garnissez le tourin cuit de fines lamelles de champignons de couche saisis au beurre, salés et poivrés. Vous pouvez supprimer les œufs pochés ou les remplacer par quelques filaments de jaunes d'œufs pochés.

Tourin aux boulettes de viande

Supprimez les œufs pochés et garnissez le tourin de boulettes de viande de bœuf hachée avec un peu d'oignon émincé, pochées pendant 10 min dans du bouillon de bœuf.

Tourin au foie gras

Au moment de servir le tourin, déposez une lamelle assez épaisse de foie gras de canard mi-cuit, salé et poivré dessus. Supprimez les œufs pochés.

TRIPES À LA MODE DE CAEN

Préparation : 30 min • **Cuisson :** 4 h • **Pour 4 personnes**

4 couennes • 3 carottes • 2 oignons • 2 blancs de poireaux • 1 bouquet garni • 2 clous de girofle • 1 kg de gras-double nature prêt à cuire (caillette, feuillet et panse) • 1 pied de veau fendu en deux • 100 g de moelle de bœuf • 1 bouteille de cidre brut • sel et poivre

● Tapissez le fond d'une braisière avec deux couennes. Ajoutez les carottes et les oignons pelés et émincés ainsi que les blancs de poireaux, parés et émincés, le bouquet garni et les clous de girofle pilés.

● Déposez les morceaux de gras-double rincés et égouttés par-dessus, salez et poivrez. Ajoutez le pied de veau et la moelle de bœuf.

● Versez doucement le cidre, ajoutez les couennes restantes. Couvrez hermétiquement et faites cuire au four à 180 °C pendant environ 4 h.

● Sortez la braisière du four, retirez les couennes du dessus, versez le contenu dans un plat creux bien chaud, retirez le bouquet garni et servez brûlant avec des pommes vapeur.

Normandie

WATERZOÏ DE POULET

Préparation : 30 min • **Cuisson :** 45 min • **Pour 6 personnes**

*8 jeunes carottes • 250 g de céleri en branches • 4 poireaux
• 250 g de céleri-rave • 1 citron • 1 gros poulet fermier • 70 cl de bouillon
de volaille • 20 cl de crème fraîche • 3 jaunes d'œufs • 4 c. à s. de persil
plat ciselé • 6 c. à s. de menthe fraîche ciselée • sel et poivre*

● Parez et taillez les légumes en tronçons réguliers, citronnez
le céleri-rave et faites-les tous cuire à la vapeur.

● Découpez le poulet en morceaux et faites-les pocher dans le bouillon
de volaille pendant 45 min.

● Mélangez la crème, les jaunes d'œufs, la moitié du persil et la menthe
dans un bol, salez et poivrez.

● Réchauffez les légumes à la vapeur. Filtrez le bouillon de cuisson
du poulet et faites-le réduire sur feu vif, puis incorporez le mélange
à la crème et rectifiez l'assaisonnement.

● Répartissez les portions de poulet et les légumes dans des assiettes
creuses.

● Nappez de sauce, ajoutez le persil restant, poivrez et servez.

DESSERTS

Gros baba aux fruits confits

Faites cuire la pâte dans
un moule à savarin en ajoutant
80 g de fruits confits en petits
dés dans la pâte et comptez
30 min de cuisson. Garnissez
le baba de crème Chantilly.

Babas à l'orange

Pour des enfants, ajoutez
4 c. à s. de zeste d'orange très
finement râpé dans la pâte.
Remplacez le sirop de vin blanc
au rhum par du jus d'orange
chauffé.

Babas aux raisins

Ajoutez à la pâte
150 g de raisins secs blonds
que vous aurez préalablement
fait tremper dans du rhum
ou dans du thé.

Au kirsch ou au madère

On peut aussi remplacer
le rhum soit par du kirsch (et
ajouter dans la pâte des cerises
ou des airelles séchées), soit
par du madère.

BABAS AU RHUM

Préparation : 20 min • **Cuisson :** 20 min • **Repos :** 15 min
Pour 6 personnes

*250 g de farine • 200 g de sucre en poudre • 4 œufs • 2 c. à s. de crème
fraîche • 100 g de beurre • 30 g de levure • 40 cl de vin blanc
• 5 g de fécule • 10 cl de rhum • 1 jaune d'œuf • sel fin*

● Préchauffez le four à 180 °C.

● Tamisez la farine dans une terrine. Faites une fontaine, ajoutez
1 pincée de sel, 50 g de sucre en poudre et les œufs un par un
en mélangeant bien.

● Travaillez la pâte pendant 5 min à l'aide d'une cuillère en bois.
Ajoutez la crème fraîche, 80 g de beurre et la levure. Mélangez.

● Beurrez 6 moules à baba individuels et répartissez la pâte dedans.
Laissez reposer pendant 15 min puis faites cuire au four pendant
20 min.

● Environ 15 min avant la fin de la cuisson, faites dissoudre le sucre
restant avec le vin blanc dans une casserole à feu doux.

● Ajoutez la fécule délayée dans le rhum et mélangez.

● Incorporez ensuite le jaune d'œuf au sirop chaud. Ne laissez pas
bouillir.

● Sortez les babas et démoulez-les sur une grille que vous aurez posée
sur un plat creux.

● Arrosez-les aussitôt avec la sauce au rhum en laissant le temps
à la pâte de l'absorber. Laissez refroidir complètement. Dégustez
avec de la crème fouettée.

Beignets d'ananas

Remplacez les rondelles
de pommes par des rondelles
d'ananas au sirop épongées
ou par de l'ananas frais, pelé et
coupé en tranches ou en cubes.

Beignets au gingembre

Ajoutez 1 pincée de gingembre
en poudre dans le sucre. Son
goût un peu piquant s'accorde
très bien avec la pomme.

Beignets de prunes

Remplacez les pommes par
1 kg de grosses quetsches.
Lavez-les et dénoyautez-les,
farcissez-les d'un peu de pâte
d'amandes et enrobez-les
de pâte avant de les faire frire.

Beignets à la cannelle

Ajoutez 1 pincée de cannelle
en poudre sur les pommes
roulées dans le sucre.

BEIGNETS AUX POMMES

Préparation : 20 min • Repos : 1 h • Cuisson : 15 min • Pour 4 personnes

*250 g de farine • 2 œufs • 2 c. à s. d'huile de maïs • 25 cl de lait
• 4 grosses pommes • 100 g de sucre en poudre • huile de friture
• sucre glace • sel*

● Versez la farine dans une terrine avec quelques pincées de sel.
Faites une fontaine au milieu, ajoutez 1 œuf et délayez.

● Ajoutez le second lorsque le premier est bien amalgamé et délayez
encore. Incorporez ensuite l'huile et le lait.

● Mélangez et laissez reposer pendant au moins 1 h (mais vous pouvez
préparer cette pâte bien plus à l'avance).

● Pelez les pommes et évidez-les, puis coupez-les en rondelles épaisses
et roulez-les dans le sucre en poudre.

● Faites chauffer un bain de friture.

● Trempez les rondelles de pommes dans la pâte, puis plongez-les
aussitôt dans l'huile très chaude. Égouttez-les sur du papier absorbant
et servez-les aussitôt, légèrement saupoudrées de sucre glace.

Alsace

Biscuit de Savoie
à la confiture

Coupez le biscuit de Savoie
en deux dans l'épaisseur et
garnissez-le de 1 épaisse
couche de confiture de fruits
rouges (mélange de groseilles,
fraises, mûres et myrtilles)
ou de gelée de pomme.

Biscuit de Savoie
à la crème

Garnissez le biscuit de Savoie
coupé en deux avec une crème
frangipane aux amandes
(voir p. 290) ou une crème
pâtissière parfumée au chocolat
ou au café (voir p. 314).

Biscuit de Savoie façon
pain perdu

Coupez 1 biscuit de Savoie
un peu rassis en tranches,
trempez-les dans des œufs
battus avec un peu de lait et
faites-les dorer dans une poêle
avec du beurre à la manière
du pain perdu.

Biscuit de Savoie
aux fruits confits

Incorporez de petits dés
de cerises confites
et d'angélique confite dans
la pâte du gâteau de Savoie.

BISCUIT DE SAVOIE

Préparation : 25 min • **Cuisson :** 45 min • **Pour 8 personnes**

*6 œufs de 55 g • 170 g de sucre en poudre • 50 g de farine
• 50 g de fécule de pommes de terre • 1 citron non traité
• 20 g de beurre • sucre glace • sel fin*

● Cassez les œufs en séparant les blancs des jaunes. Fouettez vivement
les jaunes avec 150 g de sucre et 1 pincée de sel.

● Incorporez ensuite la farine tamisée, la fécule et le zeste du citron
finement râpé.

● Fouettez les blancs en neige très ferme avec 1 pincée de sel puis
incorporez-les peu à peu à la préparation précédente, en veillant
à ce qu'elle reste très mousseuse.

● Beurrez un moule à manqué et saupoudrez-le du reste de sucre.
Versez-y la pâte et faites cuire au four à chaleur douce (160 à 180 °C)
pendant 45 min, sans ouvrir la porte.

● Démoulez à la sortie du four et laissez refroidir complètement.
Saupoudrez de sucre glace et servez.

Décor de Noël

Percez les biscuits d'un trou
avant de les faire cuire. Quand
ils sont cuits, passez-y un ruban
rouge et suspendez-les
en bouchées gourmandes
dans le sapin de Noël.

Biscuits aux airelles

Ajoutez 2 c. à s. d'airelles
ou de myrtilles séchées – que
vous aurez fait tremper dans
un peu d'eau tiède – à la pâte,
juste après avoir versé la farine.
Mélangez intimement.

Biscuits glacés

Abaissez la pâte des biscuits
sur 3 mm d'épaisseur
et façonnez-les en forme
de languettes. Glacez ces sortes
de langues-de-chat au fondant.

Biscuits à l'anis
et à la cannelle

Ajoutez 1 c. à c. de grains d'anis
finement pilés dans la pâte,
cela renforcera le parfum
de la cannelle. C'est l'un
des parfums les plus répandus
des biscuits alsaciens, que
l'on façonne aussi en anneaux.

BISCUITS À LA CANNELLE

Préparation : 20 min • **Repos** : 2 h • **Cuisson** : 10 min
Pour 2 douzaines de biscuits

*120 g de beurre • 100 g de sucre roux • 100 g de miel • 1 c. à c. de zeste
de citron râpé • 1 c. à s. de kirsch • 1 c. à c. de levure alsacienne
• 2 c. à c. de cannelle • 250 g de farine • sel fin*

● Préchauffez le four à 180 °C.

● Mélangez 100 g de beurre ramolli et le sucre roux dans une terrine.
Travaillez le mélange jusqu'à l'obtention d'une consistance
de pommade épaisse.

● Ajoutez le miel, le zeste de citron et le kirsch. Battez vigoureusement
pendant 5 min puis ajoutez la levure, la cannelle et 1 pincée de sel.

● Incorporez petit à petit la farine tamisée et mélangez jusqu'à
l'obtention d'une consistance homogène.

● Couvrez et laissez reposer dans le bas du réfrigérateur pendant 2 h.

● Beurrez et farinez une tôle à pâtisserie. Roulez la pâte en boudin
et découpez-la en palets réguliers assez épais.

● Posez-les sur la tôle et faites-les cuire au four pendant 10 min
environ.

● Dès qu'ils sont cuits, striez-les avec les dents d'une fourchette
puis laissez-les refroidir.

Chocolat liégeois

Remplacez le café noir par
du chocolat à boire et la glace
au café par de la glace
au chocolat. Décorez
de vermicelles au chocolat
ou d'éclats de chocolat amer.

Café liégeois à la cannelle

Remplacez la glace au café
par de la glace à la cannelle
et saupoudrez d'un mélange
de sucre glace et de cannelle
en poudre.

Café liégeois au whisky

À la façon de l'irish coffee,
versez 1 c. à s. de whisky
(ou de genièvre pour rester
dans les parfums du Nord)
dans le fond des verres avant
d'ajouter le café et la glace.

Café liégeois à la chicorée

La chicorée est un parfum
très présent dans la cuisine
du Nord : remplacez le café noir
par de la chicorée et la glace au
café par de la glace au caramel
garnie de petits raisins secs.

CAFÉ LIÉGEOIS

Préparation : 20 min • Repos : 2 h • Pour 4 personnes

*4 petites tasses de café noir • 15 cl de crème fraîche • 1 c. à s. de sucre
glace • 1 glaçon • 4 c. à s. de lait froid • 50 cl de glace au café • cacao
non sucré ou petits grains de café à la liqueur*

- Placez le café dans le réfrigérateur pour qu'il soit très froid.

- Fouettez la crème fraîche froide avec le sucre glace et un glaçon pilé
  pour obtenir une chantilly bien ferme. Réservez.

- Répartissez le café dans des verres hauts. Ajoutez le lait et mélangez.

- Remplissez ensuite les verres de la glace au café en tassant bien.

- Garnissez le dessus de crème Chantilly et saupoudrez de cacao
  non sucré ou bien décorez de grains de café. Servez très froid.

CANNELÉS

Préparation : 20 min • Repos : 1 h • Cuisson : 1 h 15 • Pour 12 cannelés

45 cl de lait • 1 gousse de vanille • 100 g de beurre • 100 g de farine
• 225 g de sucre en poudre • 2 œufs entiers • 2 jaunes d'œufs
• 1 c. à s. de rhum vieux

● Préchauffez le four à chaleur maximum.

● Faites chauffer le lait dans une casserole avec la gousse de vanille
fendue en deux et 50 g de beurre en parcelles.

● Pendant ce temps, versez la farine dans une terrine, ajoutez le sucre
puis les œufs entiers et les jaunes d'œufs. Mélangez à l'aide
d'une cuillère en bois.

● Versez alors le lait très chaud, après avoir retiré la gousse de vanille.
Mélangez intimement, laissez tiédir puis ajoutez le rhum. Couvrez
et laissez reposer pendant 1 h au réfrigérateur.

● Beurrez soigneusement 12 grands moules à cannelés et posez-les
sur la tôle du four. Répartissez délicatement la pâte dans les moules,
sans les remplir complètement.

● Faites cuire au four de 10 à 15 min puis baissez la chaleur à 170 °C
et poursuivez la cuisson pendant environ 1 h.

● L'extérieur doit être presque caramélisé et l'intérieur moelleux.
Sortez les cannelés, démoulez-les et laissez-les refroidir
complètement sur une grille.

Minicannelés

Répartissez la pâte dans
des moules à minicannelés
(vous en obtiendrez
2 douzaines) et servez-les avec
le café accompagnés de
macarons au café.

Cannelés au chocolat

Nappez les cannelés une fois
cuits de 120 g de chocolat
noir fondu avec 15 g de beurre
à l'aide d'un pinceau
à pâtisserie.

Cannelés aux pralines

Concassez finement 100 g
de pralines roses et incorporez
cette poudre parfumée à la pâte
en diminuant la proportion
de sucre de moitié. Servez
ensuite les cannelés avec
des pralines roses.

Cannelés à l'armagnac

Le parfum traditionnel
des cannelés est le rhum,
mais vous pouvez le remplacer
par de l'armagnac. Dans
ce cas, servez en même
temps des pruneaux gonflés
à l'armagnac.

Chaussons aux pommes et au chocolat

Ajoutez du chocolat noir grossièrement râpé ou une demi-tablette de chocolat aux noisettes dans le fourrage des chaussons aux pommes.

Chaussons aux pommes et aux amandes

Ajoutez 2 c. à s. d'amandes effilées ou 3 c. à s. de poudre d'amandes (ou de noisettes) en même temps que la crème fraîche et badigeonnez les chaussons de caramel liquide mélangé à quelques amandes effilées à la sortie du four.

Chaussons aux pommes et à la frangipane

Ajoutez une crème frangipane simplifiée à la place de la crème fraîche : faites cuire 25 g de beurre et 25 g de farine, mouillés avec 18 cl de lait pendant 15 min et ajoutez 4 c. à s. de poudre d'amandes.

Chaussons aux poires et aux pistaches

Remplacez les pommes par des poires et ajoutez 3 c. à s. de pistaches nature pelées et concassées en même temps que la crème et le sucre.

Préparation : 30 min • Cuisson : 40 min • Pour 10 petits chaussons

5 pommes • 1 citron • 500 g de pâte feuilletée • 2 c. à s. de crème fraîche épaisse • 150 g de sucre en poudre • 2 œufs • 60 g de beurre

- Préchauffez le four à 240 °C.

- Pelez et évidez les pommes, taillez-les en petits dés et citronnez-les.

- Abaissez la pâte sur 5 mm d'épaisseur et découpez-y une dizaine de ronds de 12 cm de diamètre environ.

- Mélangez les dés de pommes avec la crème et le sucre.

- Badigeonnez à l'œuf le pourtour de chaque rond de pâte puis répartissez le mélange aux pommes sur la moitié de chaque rond.

- Ajoutez le beurre en parcelles, rabattez les ronds sur la garniture et soudez les bords en les pinçant.

- Dorez le dessus avec les œufs battus restants. Laissez sécher. Tracez des croisillons sur le dessus.

- Faites cuire sur la tôle du four pendant environ 40 min. Dégustez les chaussons de préférence tièdes.

Limousin

Clafoutis aux pommes

Remplacez les cerises par
1 kg de pommes à cuire pelées,
évidées, coupées en petits
morceaux et légèrement
saupoudrées de cannelle.

Clafoutis aux prunes

Remplacez les cerises par des
petites mirabelles jaunes bien
juteuses, par des reines-claudes
dénoyautées ou encore par
des demi-quetsches
dénoyautées également.

Clafoutis aux fruits rouges

Préparez le clafoutis en utilisant
un mélange de 200 g de cerises,
200 g de fraises pas trop
grosses et 200 g de groseilles
rouges égrappées.

Clafoutis aux poires

Remplacez les cerises par
1 kg de poires à cuire pelées,
évidées, citronnées et coupées
en gros dés puis saupoudrées
d'un peu de poivre au moulin.

CLAFOUTIS AUX CERISES

Préparation : 20 min • Repos : 1 h • Cuisson : 30 min • Pour 6 personnes

*180 g de farine • 4 œufs • 1 c. à s. d'huile • 40 cl de lait
• 150 g de sucre en poudre • 1 petit verre d'eau-de-vie
• 600 g de cerises noires juteuses • beurre • sel fin*

● Tamisez la farine dans une terrine, faites une fontaine et ajoutez
1 pincée de sel.

● Cassez les œufs et ajoutez-les entiers, ainsi que l'huile et 10 cl de lait.

● Mélangez intimement, incorporez ensuite le lait restant en remuant
bien, puis la moitié du sucre et l'eau-de-vie.

● Laissez reposer pendant 1 h à température ambiante.

● Préchauffez le four à 210 °C.

● Lavez les cerises, équeutez-les, mais ne les dénoyautez pas,
les noyaux ajoutent un parfum supplémentaire au plat (cependant,
si le dessert est prévu pour des enfants, dénoyautez-les).

● Beurrez un plat à gratin et rangez les cerises dedans sur une seule
couche. Versez la pâte dessus et ajoutez quelques noisettes
de beurre.

● Faites cuire au four pendant 30 min. Saupoudrez largement de sucre
à la sortie du four et laissez tiédir avant de déguster.

COMPOTE DE RHUBARBE

Préparation : 20 min • Cuisson : 35 min • Pour 4 personnes

1 kg de tiges de rhubarbe • 400 g de vergeoise blonde • 1 orange

● Préchauffez le four à 180 °C.

● Lavez les tiges de rhubarbe et essuyez-les, puis coupez-les en tronçons de 3 à 4 cm de long. Retirez au fur et à mesure la peau qui les recouvre.

● Versez-en une couche dans le fond d'une cocotte allant au four. Saupoudrez de vergeoise. Remplissez la cocotte en alternant les tronçons de rhubarbe et la vergeoise.

● Râpez finement le zeste de l'orange. Ajoutez-le ainsi que le jus de l'orange pressée.

● Couvrez la cocotte et faites cuire au four pendant 35 min. Sortez la cocotte du four, retirez le couvercle et laissez refroidir. Répartissez dans des pots stérilisés comme pour une confiture.

Dulce de leche

Il s'agit à l'origine d'une spécialité sud-américaine (le « dulce de leche ») que l'on retrouve aussi en Normandie : parfumez-la avec 1 c. à c. de cannelle et quelques gouttes d'extrait de vanille.

Confiture de lait à la vanille

Parfumez la confiture de lait en y faisant infuser, au début de la cuisson, 1 gousse de vanille fendue en deux, en grattant soigneusement ses graines noires.

Confiture de lait au miel

Incorporez 2 ou 3 c. à s. de miel crémeux toutes fleurs à la confiture de lait au cours de la cuisson pour obtenir une consistance plus onctueuse.

Coulis de confiture de lait

Faites réchauffer la confiture de lait et mettez-la à la place du caramel sur une île flottante.

CONFITURE DE LAIT

Préparation : 5 min • Cuisson : 2 h • Pour 2 pots

1 l de lait entier • 400 g de sucre en poudre

- Versez le lait dans une casserole à fond épais (choisissez de préférence du lait entier, ou du moins non écrémé). Ajoutez le sucre et mélangez.

- Portez lentement à ébullition. Baissez le feu au premier bouillon et faites cuire à feu très doux (en intercalant un diffuseur de chaleur sur le feu) pendant environ 2 h en remuant toutes les 5 ou 10 min.

- Le volume diminue environ de moitié. Il faut remuer plus souvent lorsque le mélange épaissit et prend une couleur caramélisée.

- Remuez sans arrêt pendant 10 min avant la fin de la cuisson.

- Répartissez dans 2 pots en verre et laissez refroidir complètement.

Normandie

CORNETS DE MURAT

Préparation : 20 min • Cuisson : 5 min • Pour 8 pièces

*125 g de sucre en poudre • 1 sachet de sucre vanillé • 75 g de farine
• 2 œufs • 40 g de beurre • 75 g d'amandes effilées • 15 cl de crème
fleurette • 2 c. à s. de sucre glace • 150 g de fruits rouges mélangés*

- Mélangez le sucre, le sucre vanillé et la farine dans une terrine
  à l'aide d'un fouet. Ajoutez les œufs battus.

- Faites fondre le beurre et ajoutez-en 2 c. à s. à la pâte. Incorporez
  enfin les amandes finement pilées.

- Préchauffez le four à 275 °C. Beurrez la plaque du four.

- Déposez dessus 8 ronds de pâte bien espacés les uns des autres.
  Étalez-les légèrement avec le dos d'une cuillère trempée dans
  de l'eau froide. (Procédez éventuellement en deux fois.)

- Faites cuire ces ronds de pâte pendant 5 min environ. Le pourtour
  des biscuits doit être brun doré et le centre jaune pâle.

- Décollez ces ronds encore chauds et enroulez-les en cornets,
  puis laissez-les refroidir jusqu'à ce qu'ils aient durci.

- Remplissez-les de crème fleurette fouettée en chantilly avec le sucre
  glace et servez-les accompagnés des fruits rouges.

Auvergne

Cramique façon pain perdu

Faites sécher d'épaisses tranches de cramique. Trempez-les dans un mélange de lait et d'œufs battus puis faites-les dorer au beurre à la poêle. Servez avec de la marmelade d'oranges.

Charlotte aux pommes

Découpez la cramique en tranches régulières et utilisez-les pour confectionner une charlotte aux pommes.

Cramique aux fruits séchés

Remplacez les raisins de Corinthe par un mélange de petits dés d'abricots et de bananes séchés, de pruneaux grossièrement hachés et de petits dés de dattes.

Cramique aux fruits confits

Remplacez les raisins de Corinthe par un mélange de fruits confits (ananas, poire, écorces d'orange et de citron et angélique) macérés pendant 15 min dans un peu de cognac.

CRAMIQUE AUX RAISINS

Préparation : 25 min • **Repos :** 45 min • **Cuisson :** 50 min
Pour 8 personnes

40 g de levure de boulanger • 40 cl de lait • 1 kg de farine
• 200 g de raisins de Corinthe • 50 g de sucre en poudre • 3 œufs
• 200 g de beurre • 1 jaune d'œuf • sel fin

● Délayez la levure dans 10 cl de lait tiédi en ajoutant 1 c. à s. de farine. Mélangez intimement.

● Mettez cette pâte molle dans une grande terrine et versez la farine restante par-dessus avec 1 pincée de sel. Réservez.

● Faites tremper les raisins secs dans un bol d'eau tiède pendant 15 min.

● Ajoutez le sucre, les œufs battus en omelette puis, peu à peu, le lait restant tiède dans la farine.

● Travaillez la pâte jusqu'à l'obtention d'une consistance élastique puis incorporez le beurre ramolli coupé en petits morceaux et, enfin, les raisins secs bien égouttés.

● Versez la pâte dans un moule à cake, badigeonnez le dessus avec le jaune d'œuf et laissez lever pendant 30 min.

● Préchauffez le four à 250 °C.

● Faites cuire la cramique au four pendant 15 min puis baissez la température à 210 °C et poursuivez la cuisson pendant 35 min.

● Démoulez et laissez refroidir sur une grille puis servez, coupé en tranches épaisses.

Nord

CRÈME CARAMEL AU BEURRE SALÉ

Préparation : 10 min • Repos : 3 h • Cuisson : 25 min • Pour 6 personnes

50 cl de lait • 200 g de sucre en poudre • 2 œufs + 6 jaunes d'œufs • 50 cl de crème fleurette • 1 sachet de sucre vanillé • 12 cl de caramel liquide • 80 g de beurre salé

● Versez le lait dans une casserole et portez à ébullition.

● Pendant ce temps, travaillez le sucre avec les œufs et les jaunes dans une terrine. Lorsque le sucre est bien dissous, versez le lait puis incorporez la crème fleurette.

● Versez à nouveau ce mélange dans la casserole et faites épaissir sur le feu sans laisser bouillir. Lorsque la crème nappe la cuillère, ajoutez le sucre vanillé.

● Faites par ailleurs fondre le caramel liquide avec le beurre salé dans une petite casserole et répartissez-le dans six petits pots.

● Versez la crème dessus et mettez au frais pendant 3 h avant de servir.

Bretagne

Crèmes catalanes épicées

Ajoutez 1 c. à c. de cannelle,
1 c. à c. de gingembre
et 1 c. à c. de piment d'Espelette
au sucre roux.

Crèmes catalanes
au foie gras

Glissez 1 c. à s. de foie gras
mi-cuit au milieu de chaque
crème. Laissez-les
au réfrigérateur et faites-les
caraméliser avant de servir.

Crèmes catalanes
aux pralines

Répartissez une dizaine
de pralines roses concassées
dans chaque ramequin avant
de verser la crème. Ajoutez
un peu de pralines roses
en poudre dans le sucre roux.

Crèmes catalanes
à la gelée de coing

Versez la moitié de la crème
dans un plat à gratin. Ajoutez
une douzaine de cubes de pâte
de coing, recouvrez de crème
et placez au réfrigérateur
puis faites caraméliser avant
de servir.

CRÈMES CATALANES

Préparation : 20 min • Cuisson : 25 min • Repos : 3 h • Pour 6 personnes

*1 l de lait • 1 orange • 1 citron • 1 bâton de cannelle
• 2 œufs + 5 jaunes d'œufs • 25 g de farine • 25 g de fécule de maïs
• 125 g de sucre roux*

● Faites chauffer le lait dans une casserole. Quand il commence
à frémir, ajoutez le zeste de l'orange et celui du citron, ainsi que
le bâton de cannelle.

● Couvrez et laissez infuser tout doucement pendant 15 min.
Pendant ce temps, fouettez vivement les œufs entiers et les jaunes
dans une terrine, incorporez la farine et la fécule.

● Filtrez le lait et versez-le dans la terrine en remuant. Remettez
sur le feu et faites cuire doucement en fouettant pendant 5 min.

● Versez cette crème bien lisse et épaisse dans de petits ramequins.
Laissez refroidir, puis placez-les au réfrigérateur pendant 3 h.

● Avant de servir, versez le sucre roux sur la crème en une couche
régulière et passez les ramequins sous le gril pendant quelques
secondes pour faire caraméliser la croûte de sucre sans la laisser
brûler. Servez aussitôt.

Crémets d'anjou
aux fraises

Remplacez les fruits rouges
par 125 g de petites fraises
gariguettes et 125 g de fraises
des bois mélangées
à 2 c. à s. de sucre glace
et 1 c. à s. de liqueur de fraise.

Crémets d'anjou
aux baies sauvages

Remplacez les fruits rouges
par des baies sauvages : mûres,
airelles et baies de cassis
et de sureau bien mûres, lavées
et épongées puis mélangées
à 2 c. à s. de sirop de cassis.

Crémets d'anjou
aux fruits d'été

Remplacez les fruits rouges
par des billes de melon
prélevées à l'aide d'une cuillère
parisienne et mélangez-les
avec des petits dés d'abricots,
de brugnons ou de pêches
(de préférence sans la peau).

Crémets d'anjou
au fromage

Remplacez la crème fraîche
épaisse par 40 cl de fromage
blanc (de vache, de chèvre
ou de brebis) mélangé avec
les blancs d'œufs en neige et
10 cl de yaourt liquide fouetté.

CRÉMETS D'ANJOU

Préparation : 20 min • Repos : 1 h • Pour 6 personnes

*50 cl de crème fraîche épaisse • 3 blancs d'œufs • sucre en poudre
• 250 g de fruits rouges mélangés • sel fin*

● Lavez soigneusement et essuyez 6 faisselles et tapissez-les
d'une double épaisseur de mousseline.

● Fouettez vivement la crème fraîche bien froide et réservez
au réfrigérateur.

● Fouettez les blancs d'œufs en neige très ferme avec 1 pincée de sel.

● Mélangez les deux préparations le plus délicatement possible
et répartissez-les dans les faisselles sans tasser.

● Laissez égoutter pendant 1 h au frais. Saupoudrez de sucre
et garnissez le dessus de fruits rouges.

CRÊPES BRETONNES AU SUCRE

Préparation : 20 min • **Repos :** 2 h • **Cuisson :** 3 à 5 min par crêpe
Pour 24 crêpes

250 g de farine • 50 cl de lait • 3 œufs • 2 c. à s. de beurre fondu
+ supplément pour la cuisson • 2 c. à s. de sucre en poudre • sel fin

● Mettez la farine dans une terrine, faites un puits et versez-y la moitié du lait.

● Délayez à la spatule en partant du centre et en faisant tomber peu à peu la farine dans le lait.

● Battez les œufs en omelette et ajoutez-les au mélange en remuant. Incorporez ensuite le beurre, 1 pincée de sel et le sucre.

● Versez peu à peu le lait restant. La pâte doit être coulante, ni trop épaisse, ni trop fluide. Laissez reposer à couvert pendant 2 h à température ambiante.

● Dans une poêle bien graissée et chaude, versez ½ louche de pâte. Inclinez la poêle pour napper régulièrement le fond.

● Au bout de quelques instants de cuisson, les bords se soulèvent et se décollent.

● Retournez la crêpe à l'aide d'une spatule souple et faites-la cuire de l'autre côté. Faites ensuite glisser la crêpe sur un plat et faites cuire les autres de la même façon.

Crêpes au citron

Servez chaque crêpe garnie d'un mélange de jus de citron et de sucre en poudre (2 c. à s. de jus pour 2 c. à s. de sucre), repliée en quatre et parsemée de zestes de citron confit haché.

Crêpes au chocolat

Faites fondre 125 g de chocolat noir grossièrement râpé au bain-marie avec 25 g de beurre et garnissez-en 4 crêpes. Repliez-les en quatre et saupoudrez-les de cacao en poudre non sucré.

Crêpes à la banane

Ajoutez 1 c. à s. de rhum dans la pâte à crêpes avant de les faire cuire et servez-les repliées en quatre et garnies de rondelles de bananes citronnées et roulées dans de la poudre d'amandes.

Crêpes à la noix de coco

Mélangez 200 g de yaourt et 100 g de noix de coco râpée et garnissez-en 6 crêpes. Roulez-les et servez-les froides, saupoudrées de noix de coco râpée et de pignons de pin légèrement grillés.

Crêpes au citron

Remplacez les mandarines par 2 citrons bien mûrs et juteux et le curaçao par du limoncello ou de la liqueur de citron.

Crêpes à l'ananas

Remplacez les mandarines par 4 tranches d'ananas au sirop et le curaçao par du rhum ou du sirop d'ananas.

Crêpes aux fruits de la Passion

Récupérez la pulpe de 4 fruits de la Passion bien mûrs puis mélangez-la avec le beurre. (N'aromatisez pas la pâte à crêpes.)

Crêpes à la mangue

Prenez 1 belle mangue mûre et réduisez sa chair en purée puis mélangez avec le beurre. (N'aromatisez pas la pâte à crêpes.)

Crêpes aux pommes

Mélangez à la pâte à crêpes 1 pomme pelée et coupée en fines lamelles. Confectionnez les crêpes et arrosez-les d'un filet d'eau de vie de framboise.

CRÊPES SUZETTE

Préparation : 30 min • **Repos :** 1 h • **Cuisson :** 15 min
Pour 24 crêpes

4 mandarines • 250 g de farine • 3 œufs • 25 cl de lait
• 2 c. à s. de curaçao • 1 c. à s. d'huile de maïs • 80 g de beurre
+ supplément pour la cuisson • 50 g de sucre en poudre • sel fin

● Râpez le zeste de 2 mandarines et réservez-le. Pressez le jus des fruits et filtrez-le.

● Préparez une pâte à crêpes avec la farine, les œufs, le lait et 1 pincée de sel, ajoutez en fouettant la moitié du jus des mandarines, 1 c. à s. de curaçao et l'huile.

● Laissez reposer pendant 1 h.

● Malaxez le beurre, le jus de mandarine restant, le zeste, le curaçao restant et le sucre.

● Confectionnez 18 crêpes assez fines et tartinez chacune d'elles d'un peu de beurre à la mandarine.

● Repliez-les en quatre et remettez-les dans la poêle pour les faire chauffer pendant quelques instants. Servez aussitôt.

CROQUANTS DE MARSEILLE

Préparation : 10 min • Repos : 1 h • Cuisson : 15 min • Pour 6 personnes

250 g de farine • 3 œufs • 225 g de sucre en poudre • 100 g de poudre d'amandes • 1 citron • 24 amandes mondées • 20 g de beurre • sel fin

● Préchauffez le four à 180 °C.

● Tamisez 225 g de farine dans une terrine, faites une fontaine au milieu, ajoutez les œufs et incorporez-les à la farine.

● Ajoutez 1 pincée de sel, le sucre et mélangez intimement. Ajoutez ensuite la poudre d'amandes et râpez le zeste du citron par-dessus.

● Mélangez à nouveau en incorporant les amandes mondées. Lorsque la pâte est bien homogène, ramassez-la en boule et réservez-la au frais pendant 1 h.

● Abaissez la pâte sur 2 cm d'épaisseur environ et détaillez cette pâte en morceaux oblongs de 10 cm de long sur environ 2 à 3 cm de large.

● Beurrez la tôle du four et farinez-la légèrement.

● Rangez les croquants dessus en les espaçant et faites cuire au four pendant 15 min. Laissez refroidir sur une grille avant de consommer.

Provence

Remplacez le café soluble par 1 c. à s. de cacao dans la crème pâtissière et remplacez également le café par 1 c. à c. de cacao dans le fondant.

Éclairs à la fraise

Utilisez la crème pâtissière nature mais ajoutez-y quelques morceaux de fraises fraîches. Colorez le fondant avec quelques gouttes de colorant alimentaire rose.

Éclairs à la pistache

Ajoutez 1 c. à s. de pistaches finement pilées à la crème pâtissière nature. Colorez le fondant avec quelques gouttes de colorant alimentaire vert.

Éclairs au citron ou à l'orange

Ajoutez 1 c. à s. de zeste de citron ou d'orange finement râpé à la crème pâtissière nature. Colorez le fondant avec quelques gouttes de colorant jaune ou orange.

ÉCLAIRS AU CAFÉ

Préparation : 30 min • Cuisson : 30 min • Repos : 2 h • Pour 12 éclairs

165 g de sucre en poudre • 100 g de beurre • 200 g de farine • 5 œufs • 50 cl de lait • 1 gousse de vanille • 5 jaunes d'œufs • 1 c. à s. de café soluble • 400 g de fondant • sel fin

● Préchauffez le four à 210 °C.

● Faites bouillir 150 g de sucre, avec le beurre et 1 pincée de sel mélangés à 25 cl d'eau.

● Verser d'un coup 150 g de farine et mélangez le tout à feu doux jusqu'à ce que la pâte se détache des parois puis incoporez les œufs entiers un par un.

● Mettez cette pâte dans une poche à grosse douille unie et poussez 12 boudins sur une tôle beurrée.

● Faites cuire au four pendant 15 min.

● Faites chauffer le lait avec la gousse de vanille fendue en deux et le sucre restant.

● Filtrez et versez-le sur les jaunes d'œufs puis ajoutez la farine restante et parfumez avec le café soluble.

● Lorsque les éclairs sont bien refroidis, fendez-les en deux sur le côté et fourrez-les avec la crème pâtissière.

● Faites tiédir le fondant en lui ajoutant 1 c. à c. de café soluble dilué dans un peu d'eau et nappez les éclairs de ce glaçage. Laissez sécher complètement pendant 2 heures.

Far aux fruits frais

Remplacez les raisins secs
et les pruneaux par 100 g
de framboises, 200 g de cubes
de pommes et 200 g de cubes
de poires (ne les faites pas
tremper dans le thé).

Far aux fruits confits

Remplacez les fruits secs par
un mélange de gros tronçons
de fruits confits (cédrat,
angélique et ananas)
et de bigarreaux confits entiers.

Far à la confiture

Versez la moitié de la pâte à far
dans le plat, recouvrez-la d'une
couche de biscuits à
la cuillère tartinés de confiture
de fraises. Ajoutez le reste
de pâte et faites cuire au four.

Far aux bonbons

Remplacez les fruits secs
par un assortiment de bonbons
fondants : caramels au beurre
salé, pâtes de fruits, fraises
Tagada®, etc.

FAR BRETON

Préparation : 25 min • Trempage : 2 h • Cuisson : 1 h • Pour 6 personnes

100 g de raisins secs • 400 g de pruneaux • 40 cl de thé • 4 œufs
• 250 g de farine de froment • 30 g de sucre en poudre • 40 cl de lait
• 25 g de beurre • sucre glace • sel fin

● Faites tremper les raisins secs et les pruneaux mélangés
dans une jatte avec le thé très chaud pendant environ 2 h.

● Préchauffez le four à 200 °C.

● Égouttez les fruits et dénoyautez les pruneaux. Cassez les œufs
dans un bol.

● Versez la farine dans une terrine. Ajoutez 1 pincée de sel et le sucre
en poudre.

● Mélangez et faites une fontaine, versez les œufs battus en omelette
et incorporez-les à la farine. Délayez ensuite avec le lait jusqu'à ce
que la pâte soit homogène.

● Ajoutez enfin les pruneaux et les raisins secs.

● Beurrez un plat à gratin et versez-y la pâte bien mélangée.

● Faites cuire au four pendant 1 h jusqu'à ce que le dessus soit
bien coloré. Saupoudrez de sucre glace à la sortie du four.

Fiadone à la clémentine

Remplacez le zeste de citron par celui de 2 ou 3 clémentines bien lavées et essuyées. Décorez le gâteau avec des quartiers de clémentines au sirop.

Fiadone au cédrat

Garnissez le dessus d'un fiadone au citron avec 2 c. à s. de petits dés de cédrat confit.

Fiadone à l'angélique

Remplacez l'eau-de-vie par de la liqueur d'angélique et garnissez le dessus du fiadone de tronçons d'angélique disposés en croisillons.

Fiadone aux myrtilles

Une fois le fiadone refroidi, recouvrez le dessus de 1 fine couche de sorbet à la myrtille et déposez 200 g de myrtilles fraîches par-dessus.

FIADONE

Préparation : 10 min • Cuisson : 30 min • Pour 6 personnes

*1 gros citron • 500 g de broccio frais • 5 œufs • 180 g de sucre
• beurre pour le moule • eau-de-vie corse*

● Préchauffez le four à 180 °C.

● Lavez le citron et râpez finement le zeste. Mélangez le fromage et les œufs dans une terrine puis incorporez le sucre et le zeste de citron.

● Beurrez un plat allant au four et versez la préparation dedans ; lissez le dessus et faites cuire au four pendant 30 min.

● Sortez le fiadone du four, arrosez-le d'un peu d'eau-de-vie et laissez-le reposer pendant quelques instants avant de le déguster tiède (il est également très bon complètement refroidi).

FINANCIERS

Financiers au chocolat

Supprimez les amandes effilées et nappez les financiers refroidis de chocolat noir fondu. Ajoutez quelques petits tronçons d'écorce d'orange confite par-dessus.

Financiers glacés au fondant

Remplacez les amandes effilées par un glaçage au fondant constitué de 100 g de fondant blanc ou coloré, fondu au bain-marie.

Financiers à la fraise

Dès que les financiers sont cuits, sortez-les du four et déposez 2 ou 3 fraises des bois dessus. Pour les enfants, remplacez-les par des fraises Tagada®.

Financiers à la gelée de coing

Lorsque les financiers sont refroidis, coupez-les en deux dans l'épaisseur, tartinez-les de gelée de coing, refermez-les et servez-les avec une coupe de fruits rafraîchis ou un sorbet à la poire.

Préparation : 25 min • Cuisson : 20 min • Pour 20 pièces

200 g de beurre • 150 g de poudre d'amandes • 200 g de sucre glace • 70 g de farine • 5 blancs d'œufs • 80 g d'amandes effilées

● Préchauffez le four à 230 °C.

● Faites fondre doucement 180 g de beurre puis laissez-le refroidir.

● Mélangez intimement la poudre d'amandes, le sucre glace et la farine tamisée dans une terrine.

● Incorporez les blancs d'œufs non battus et le beurre. Mélangez soigneusement.

● Beurrez 20 moules à financiers et répartissez la pâte dedans. Faites cuire au four pendant 6 min puis pendant 8 min à 200 °C.

● Incrustez quelques amandes effilées dans chaque financier.

● Laissez les financiers finir de cuire au four éteint porte fermée de 6 à 7 min. Laissez refroidir complètement avant de démouler.

Flan au café

Remplacez l'eau de fleur
d'oranger par 1 c. à s. d'extrait
de café et garnissez le dessus
du flan de grains de café
à la liqueur. Proposez
éventuellement une glace
au café en accompagnement.

Flan aux fruits secs

Ajoutez des petits raisins secs
sans pépins (ou des petits
morceaux d'abricots séchés),
gonflés dans du thé parfumé
au rhum et bien égouttés dans
la crème avant de la verser
sur le fond de tarte.

Flan au pastis

Remplacez l'eau de fleur
d'oranger par 1 c. à s. de pastis.
Lorsque le flan est presque cuit,
sortez-le, éparpillez quelques
grains d'anis dessus puis
terminez la cuisson.

Flan aux amandes

Garnissez le fond de tarte d'un
mélange composé de poudre
d'amandes et de biscottes
pilées en quantités égales avant
de verser la crème. Décorez
le flan d'amandes effilées non
grillées avant de servir.

FLAN AU LAIT

Préparation : 30 min • Repos : 30 min • Cuisson : 40 min
Pour 6 personnes

225 g de farine • 75 g de beurre • 125 g de sucre • 2 œufs • 50 cl de lait
• 1 c. à c. d'eau de fleur d'oranger • 2 sachets de sucre vanillé • sel fin

● Préparez une pâte brisée avec 150 g de farine, le beurre et un peu
d'eau froide pour amalgamer les ingrédients.

● Incorporez 1 c. à s. de sucre et 1 pincée de sel. Ramassez la pâte
en boule et laissez-la reposer pendant 30 min au frais.

● Préchauffez le four à 230 °C.

● Mélangez le sucre et la farine restants dans une terrine. Ajoutez
les œufs et mélangez à nouveau, puis délayez ces ingrédients
avec le lait tiédi.

● Ajoutez l'eau de fleur d'oranger. Garnissez une tourtière
à bords assez hauts de la pâte abaissée et versez la crème dessus.

● Faites cuire au four de 35 à 40 min. Saupoudrez de sucre vanillé
et laissez tiédir ou refroidir complètement.

Beurre d'abricots au rhum

Mixez 4 abricots séchés gonflés à l'eau chaude et égouttés avec 125 g de beurre ramolli, 2 c. à s. de rhum, 1 c. à s. de poudre d'amandes et 1 c. à c. de zeste de citron finement râpé. Servez avec le gâteau.

Gâteau à la mangue

Remplacez les rondelles d'ananas par des tranches de mangue assez épaisses et servez le gâteau avec un coulis de mangue aux fruits de la Passion et du jus d'orange parfumé au rhum.

Coulis à la framboise

Servez le gâteau avec 500 g de framboises mixées avec le jus de 1 citron jaune, 100 g de sucre en poudre et 2 c. à s. de liqueur de framboise ou de fraise.

Crème à la fleur d'oranger

Pilez 40 g d'amandes entières avec 2 blancs d'œufs et 125 g de sucre en poudre. Ajoutez 1 c. à s. d'eau de fleur d'oranger. Faites chauffer le tout dans une casserole avec 2 jaunes d'œufs et 12 cl de crème fraîche jusqu'à obtenir une consistance onctueuse.

GÂTEAU À L'ANANAS

Préparation : 20 min • Repos : 2 h • Cuisson : 40 min • Pour 6 personnes

625 g de sucre • 8 rondelles d'ananas en boîte • 125 g de farine • 3 œufs • 1 sachet de levure • 80 g de beurre • ½ citron • 2 pincées de cannelle en poudre • rhum vieux

● Préparez un caramel foncé avec 500 g de sucre et ½ verre d'eau dans une petite casserole.

● Versez le caramel dans un moule à manqué rectangulaire et tapissez le fond de rondelles d'ananas coupées en quartiers.

● Mélangez la farine et le sucre restant, incorporez les œufs battus en omelette, le sachet de levure et le beurre fondu, le zeste du ½ citron râpé et la cannelle.

● Versez cette pâte bien homogène dans le moule et laissez reposer pendant 2 h à température ambiante.

● Faites cuire au four à 160 °C pendant 40 min. Démoulez le gâteau sur une grille en le retournant. Servez froid.

GÂTEAU AUX NOIX

Préparation : 25 min • Cuisson : 50 min • Pour 6 personnes

*250 g de cerneaux de noix • 5 œufs • 250 g de sucre en poudre
• 2 c. à s. de rhum • 100 g de fécule • 40 g de beurre*

● Préchauffez le four à 190 °C.

● Hachez les noix très finement, mais sans les passer au mixeur.
Cassez les œufs et séparez les blancs des jaunes.

● Versez les jaunes dans une terrine, ajoutez le sucre et travaillez
le mélange jusqu'à ce qu'il devienne mousseux. Ajoutez le rhum.

● Battez les blancs en neige très ferme puis incorporez-les à la pâte.
Ajoutez ensuite rapidement les noix hachées puis la fécule.

● Beurrez généreusement un moule à cake. Beurrez aussi un rond
de papier sulfurisé que vous placerez dans le fond du moule.

● Versez la pâte dans le moule et faites cuire au four pendant 50 min.
Démoulez sur une grille quand le gâteau est tiède.

Gâteau 100 % noix

Faites bouillir 30 g de sucre
dans une casserole avec un peu
d'eau, trempez 12 cerneaux
de noix dedans et collez-les sur
le gâteau en décor. Servez froid.

Gâteau aux noisettes

Remplacez les noix par
des noisettes entières pelées
(frottées dans un torchon
rugueux) et le rhum par
du cognac ou de l'armagnac.
Décorez le gâteau de petites
dragées argentées.

Coulis au chocolat

Remplacez le sucre en poudre
par 200 g de sucre et 50 g de
cacao en poudre. Servez le
gâteau avec 150 g de chocolat
noir fondu au bain-marie,
mélangé avec 25 cl de crème
fleurette chauffée, 12 cl de café
noir et 3 c. à s. de sucre.

Glace à la vanille

Préparez une crème anglaise
avec 75 cl de lait infusé
à la vanille, 6 jaunes d'œufs
et 175 g de sucre glace.
Incorporez 10 cl de crème
fraîche quand elle est cuite
et refroidie et faites prendre
en sorbetière.

GÂTEAU BASQUE

Préparation : 30 min • Repos : 1 h • Cuisson : 45 min • Pour 6 personnes

pour le gâteau basque : 280 g de farine • 200 g de sucre en poudre • 1 œuf entier • 2 jaunes d'œufs • 200 g de beurre • 1 c. à c. de zeste de citron râpé • sel fin

pour la crème pâtissière : 100 g de sucre • 2 œufs • 100 g de farine • 70 cl de lait • 2 jaunes d'œufs

- Mélangez la farine, 1 pincée de sel, le sucre, l'œuf entier et 1 jaune dans une terrine.

- Amalgamez les ingrédients en incorporant 180 g de beurre en parcelles comme pour une pâte sablée, puis le zeste de citron.

- Laissez reposer la pâte roulée en boule au frais pendant 1 h. Partagez-la en deux parties inégales.

- Faites une crème pâtissière. Versez le sucre sur les œufs battus, fouettez, incorporez la farine puis versez le lait et faites cuire en remuant pendant 20 min.

- Préchauffez le four à 190 °C.

- Étalez à la main la plus grande portion de pâte dans un moule à manqué beurré en la faisant remonter le long des bords. Versez la crème pâtissière au milieu et étalez-la. Abaissez le reste de pâte pour former le couvercle et soudez-le.

- Dorez le dessus au jaune d'œuf. Faites cuire au four pendant 45 min. Laissez refroidir avant de démouler. Servez froid.

Gâteau basque aux cerises noires

Pour réaliser la garniture traditionnelle du gâteau basque, remplacez la crème pâtissière par de la confiture de cerises noires entières, une spécialité du village d'Itxassou.

Crème de marrons

Fouettez vivement de la crème de marrons afin de l'alléger au maximum puis ajoutez-y quelques brisures de marrons glacés. Remplacez la crème pâtissière par cette préparation.

Compote de fruits rouges

Faites compoter 100 g de fraises, 100 g de cerises et 100 g de framboises avec 100 g de sucre en poudre. Laissez refroidir. Remplacez la crème pâtissière par cette préparation.

Crème au beurre à la pistache

Travaillez 2 œufs entiers avec 150 g de sucre à feu doux. Une fois le mélange refroidi, ajoutez 250 g de beurre en pommade puis 1 c. à s. de pistaches en poudre.

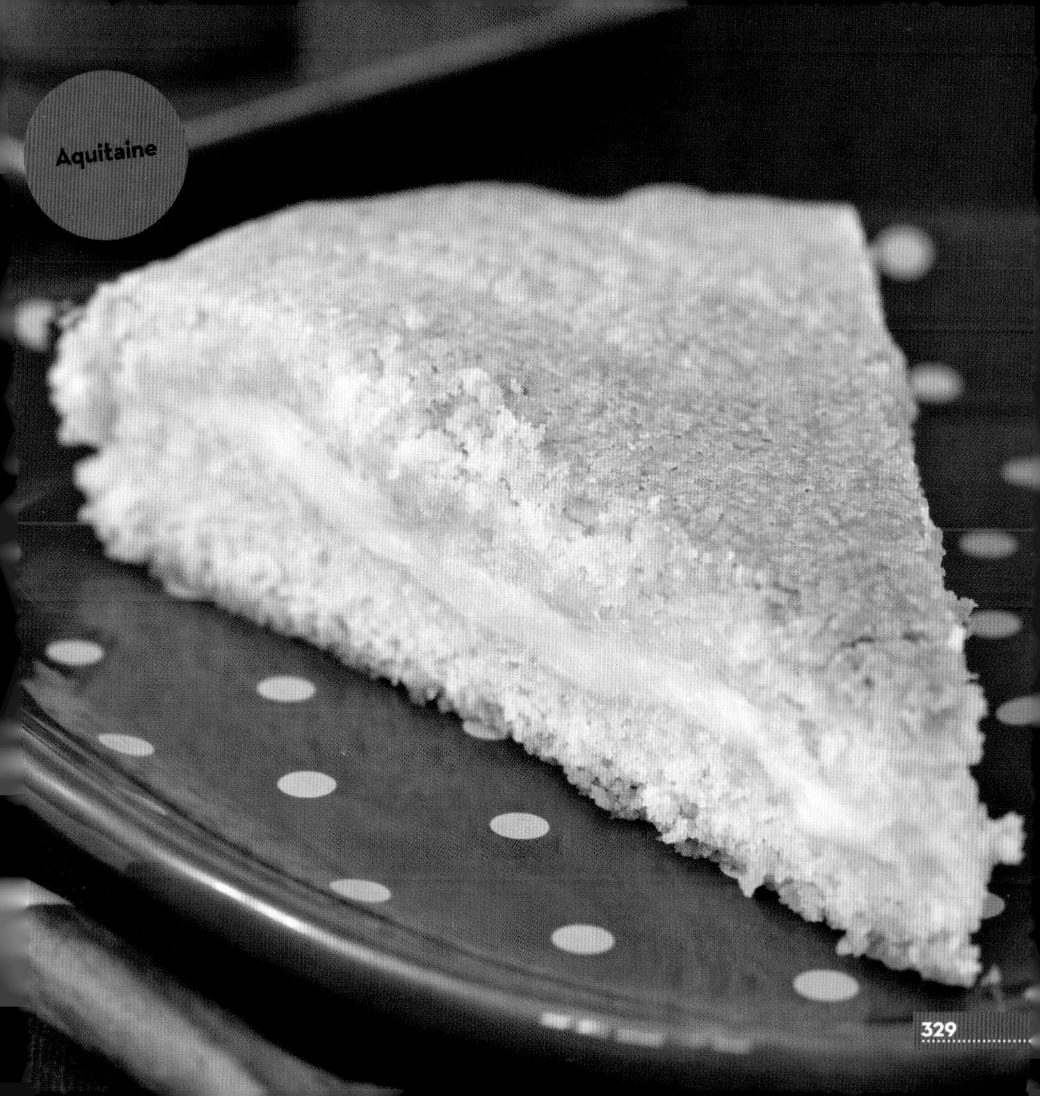

Gâteau aux noix

Remplacez les noisettes par des cerneaux de noix concassés et ajoutez 1 c. à s. de liqueur de noix dans la pâte. Décorez le gâteau de demi-cerneaux de noix trempés dans du caramel.

Gâteau creusois à la pomme

Coupez le gâteau en deux dans l'épaisseur et tartinez l'une des moitiés de gelée de pomme et l'autre moitié de beurre de pomme, réalisé en malaxant 100 g de beurre avec 2 c. à s. de marmelade de pomme. Refermez le gâteau avant de servir.

Gâteau creusois à la crème de marrons

Coupez le gâteau en deux dans l'épaisseur et tartinez chaque moitié de crème de marrons. Décorez le gâteau avec des volutes de crème fouettée et des brisures de marrons glacés.

Gâteau creusois aux fruits rouges

Coupez le gâteau en deux dans l'épaisseur et tartinez-le de gelée de groseilles. Décorez-le de fraises des bois et de myrtilles.

GÂTEAU CREUSOIS

Préparation : 20 min • Cuisson : 30 min • Pour 6 personnes

150 g de noisettes • 8 blancs d'œufs • 160 g de sucre en poudre • 40 g de farine • 110 g de beurre • sucre glace

- Faites cuire les noisettes concassées étalées sur la tôle du four à 220 °C pendant quelques minutes, juste pour les faire dorer et légèrement griller.

- Mélangez les blancs d'œufs avec le sucre en poudre dans une terrine.

- Ajoutez les noisettes, puis la farine tamisée. Mélangez intimement et ajoutez 95 g de beurre fondu en filet.

- Versez la pâte dans le moule beurré et faites cuire le gâteau au four à 200 °C pendant 30 min.

- Sortez-le du four et laissez tiédir sur une grille avant de démouler. Saupoudrez éventuellement de sucre glace avant de déguster.

Limousin

GAUFRES

Préparation : 20 min • Cuisson : 15 min • Pour 4 personnes

200 g de beurre • 30 cl de lait • 250 g de farine • 4 blancs d'œufs • 1 c. à c. d'extrait de vanille • sucre glace • sel fin

- Faites fondre le beurre dans une casserole à feu doux. Versez-le dans une terrine puis ajoutez le lait et mélangez intimement.

- Incorporez la farine en pluie et mélangez à nouveau jusqu'à l'obtention d'une consistance parfaitement lisse.

- Battez les blancs en neige avec 1 pincée de sel et incorporez-les délicatement. Ajoutez la vanille.

- Faites chauffer un gaufrier et faites-y cuire les gaufres.

- Retournez le gaufrier en cours de cuisson (au bout de 2 min environ) et laissez cuire pendant encore 2 min.

- Servez les gaufres tièdes, saupoudrées de sucre glace.

Glace au thym
et au romarin

Remplacez les fleurs de lavande
par de la fleur de thym dans
l'infusion au lait. Servez
les glaces décorées de petits
bouquets de romarin frais,
avec des langues-de-chat.

Glace au tilleul
et à la menthe

Remplacez les fleurs de lavande
par des fleurs de tilleul dans
l'infusion au lait. Servez
les glaces décorées de feuilles
de menthe fraîche, avec
des palets de dames aux
raisins secs.

Glace à la liqueur

Ajoutez 1 ou 2 c. à s. de liqueur
d'abricot en même temps que
la crème fraîche. Servez
les glaces avec des abricots
pochés au sirop et des biscotins
aux amandes.

Glace au citron

Ajoutez 1 c. à s. de limoncello
en même temps que
la crème fraîche. Servez
les glaces décorées d'écorces
de citron confites hachées.

GLACE À LA LAVANDE

Préparation : 20 min • Cuisson : 15 min • Congélation : 4 h
Pour 6 personnes

*20 brins de lavande fraîche en fleurs, non traités • 75 cl de lait
• 6 jaunes d'œufs • 175 g de sucre glace • 10 cl de crème fraîche*

● Prélevez les fleurs de 10 brins de lavande et réservez-les.
Mettez les autres brins dans une casserole et versez le lait dessus.

● Portez à la limite de l'ébullition sans remuer, puis retirez du feu
et laissez infuser à couvert pendant 10 min.

● Mettez les jaunes d'œufs dans une terrine et ajoutez le sucre glace.
Travaillez le mélange à la spatule jusqu'à l'obtention
d'une consistance onctueuse.

● Filtrez le lait parfumé à la lavande et versez-le chaud sur le mélange
œufs-sucre en remuant régulièrement.

● Remettez le tout dans une casserole et faites épaissir à feu doux,
en fouettant sans arrêt.

● Retirez du feu dès que la crème nappe la cuillère. Laissez refroidir.
Incorporez la crème fraîche en utilisant un fouet à main jusqu'à
l'obtention d'une consistance homogène.

● Versez la préparation dans une sorbetière (en la remplissant
aux deux tiers seulement) et faites turbiner.

● Servez la glace en boules, parsemée des fleurs de lavande réservées.

Glace à la noix de coco

Remplacez la pulpe d'avocat par 40 cl de lait de coco chauffé avec 10 cl d'eau, versé sur 2 jaunes d'œufs fouettés avec 100 g de sucre et 50 g de noix de coco râpée. Ajoutez 12 cl de crème fleurette et faites prendre au congélateur.

Glace à l'ananas

Remplacez les avocats par 250 g de pulpe d'ananas mixée avec le sucre, la crème fraîche et le rhum. Supprimez la vanille et incorporez 2 tranches d'ananas coupées en petits dés au dernier moment.

Glace à la mangue

Remplacez les avocats par 2 mangues et la vanille par 1 c. à c. de cannelle en poudre. Supprimez le rhum et utilisez du jus de citron vert. Remplacez la poudre d'amandes par de la poudre de noix de coco.

Glace au melon

Remplacez les avocats par la pulpe mixée d'un gros melon bien mûr et le rhum par du frontignan. Remplacez le sucre en poudre par du sucre glace pour obtenir une texture plus fine.

GLACE À L'AVOCAT

Préparation : 10 min • Congélation : 4 h • Pour 4 personnes

1 gousse de vanille • 30 g de sucre en poudre • 3 gros avocats juste mûrs • 2 c. à s. de jus de citron • 250 g de crème fraîche épaisse • 10 cl de rhum • poudre d'amandes

● Fendez la gousse de vanille, grattez-en les graines et mélangez-les avec le sucre. Réservez. Coupez les avocats en deux, retirez le noyau et extrayez toute la pulpe.

● Mettez-la dans le bol d'un mixeur. Ajoutez aussitôt le jus du citron et la crème fraîche. Mixez rapidement puis ajoutez le sucre vanillé et le rhum.

● Versez ce mélange dans un moule à manqué passé sous l'eau froide et placez-le au congélateur pendant 4 h, en remuant deux ou trois fois.

● Au moment de servir, prélevez des boules de glace à l'aide d'une cuillère et répartissez-les dans des coupes bien froides. Parsemez le dessus de poudre d'amandes.

Préparation : 30 min • Repos : 3 h • Cuisson : 45 min • Pour 8 personnes

150 g de raisins secs • kirsch • 25 g de levure de boulanger • 40 cl de lait
• 1 kg de farine • 2 œufs • 300 g de beurre • 150 g de sucre en poudre
• 1 c. à s. de sucre glace • 15 g de sel

● Faites tremper les raisins secs dans un peu de kirsch. Préparez le levain : émiettez la levure dans un saladier, ajoutez 20 cl de lait tiédi et 500 g de farine. Mélangez intimement et laissez doubler de volume.

● Cassez les œufs dans une jatte et battez-les en omelette avec le sel. Versez la farine restante dans une terrine, ajoutez le lait tiède restant et les œufs battus.

● Mélangez à l'aide d'une spatule puis pétrissez la pâte en la soulevant avec les mains. Incorporez 250 g de beurre ramolli, ainsi que le sucre, les raisins secs incomplètement égouttés et la boule de levain.

● Pétrissez pendant 5 min, couvrez la terrine et laissez reposer à température ambiante pendant 1 h.

● Enfoncez la pâte avec le poing pour en chasser l'air.

● Enduisez un grand moule à kouglof avec le beurre restant. Versez la pâte dans le moule et laissez-la reposer pendant encore 1 h jusqu'à ce qu'elle remplisse le moule.

● Préchauffez le four à 180 °C.

● Une fois la pâte levée, mettez le kouglof au four et laissez cuire pendant 45 min. S'il colore un peu trop vite, couvrez-le de papier aluminium.

● Sortez le kouglof du four et laissez-le refroidir complètement avant de le saupoudrer de sucre glace.

Kouglof aux amandes

Avant de verser la pâte dans le moule beurré, tapissez-en l'intérieur de 80 g d'amandes effilées. Vous pouvez aussi les mélanger avec quelques lamelles de noisettes.

Kouglof glacé

Garnissez l'intérieur du kouglof de glace à la vanille et réservez-le dans le réfrigérateur pendant 2 h avant de le servir, largement poudré de sucre glace ou nappé de fondant à la vanille.

Kouglof aux noix

Remplacez les raisins secs par des cerneaux de noix mélangés à des amandes effilées.

Kouglof au chocolat

Remplacez les raisins secs par des pépites de chocolat noir. Lorsque le kouglof est cuit, coupez-le en tranches et nappez-les de sauce au chocolat.

Alsace

KOUIGN-AMANN

Préparation : 35 min • Repos : 1 h • Cuisson : 30 min • Pour 6 personnes

*500 g de farine + 20 g pour le moule • 15 g de levure de boulanger
• 430 g de beurre demi-sel à température ambiante • 350 g de sucre
en poudre • sel fin*

● Versez la farine tamisée dans une terrine avec 1 pincée de sel.
Creusez une fontaine et versez-y la levure délayée
dans 10 cl d'eau tiède.

● Pétrissez le tout pendant 5 min, puis ramassez la pâte en boule
et laissez reposer pendant 30 min.

● Aplatissez la boule sur un plan de travail fariné. Posez 400 g de beurre
ramolli au milieu, étalez-le en une couche épaisse.

● Ajoutez 200 g de sucre par-dessus. Ramenez les bords de la pâte
sur le beurre et le sucre.

● Appuyez avec les paumes pour obtenir un rectangle, repliez-le
en trois, couvrez d'un torchon et laissez reposer pendant 15 min.

● Préchauffez le four à 210 °C.

● Aplatissez à nouveau la pâte avec la main et repliez-la encore en trois.
Après 15 min de repos, recommencez l'opération une dernière fois.

● Beurrez une tourtière et saupoudrez-la légèrement de farine.
Mettez la pâte dans la tourtière et étalez-la à la main pour
qu'elle la remplisse jusqu'aux bords.

● Versez le sucre restant dessus et étalez-le régulièrement. Faites cuire
au four pendant 30 min. Laissez refroidir complètement,
puis partagez le gâteau en portions régulières.

MACARONS D'AMIENS

Préparation : 40 min • **Repos :** 6 h • **Cuisson :** 20 min • **Pour 40 macarons**

500 g de poudre d'amandes • 400 g de sucre en poudre
• 2 c. à s. de miel • extrait de vanille liquide • 4 blancs d'œufs
• 2 c. à s. de gelée de pomme • 2 c. à c. d'extrait d'amandes amères
• 2 jaunes d'œufs

● Versez la poudre d'amandes dans une terrine. Ajoutez le sucre
en poudre, le miel et quelques gouttes d'extrait de vanille liquide.

● Travaillez les ingrédients en les pilant puis incorporez les blancs
d'œufs. Ajoutez enfin la gelée de pomme et l'extrait d'amandes
amères.

● Lorsque la pâte est homogène, couvrez-la et laissez-la reposer
au réfrigérateur pendant 6 h.

● Préchauffez le four à 180 °C.

● Versez la pâte sur le plan de travail et façonnez-la en la roulant
de manière à obtenir un gros boudin de 4 cm de diamètre.

● Découpez-y environ 40 tranches de 2 cm d'épaisseur et rangez-les
sur deux tôles recouvertes de papier sulfurisé.

● Badigeonnez les macarons d'Amiens de jaune d'œuf et faites cuire
au four pendant 20 min. Laissez refroidir complètement les macarons
avant de les décoller.

Macarons d'Amiens à la confiture rouge

Remplacez la gelée de pomme par de la confiture de fraises. Servez les macarons avec une soupe de fruits rouges parfumée à la liqueur de cassis.

Macarons d'Amiens à l'abricot

Remplacez la gelée de pomme par de la marmelade d'abricots et servez les macarons avec des oreillons d'abricots frais farcis d'une petite boule de sorbet à l'abricot.

Macarons d'Amiens à la framboise

Remplacez la gelée de pomme par de la confiture de framboises et servez les macarons avec des framboises fraîches saupoudrées de sucre glace et décorées de violettes en sucre.

Macarons d'Amiens au chocolat

Préparez une mousse au chocolat et servez les macarons collés deux par deux par une couche de mousse. Saupoudrez-les de cacao non sucré.

Picardie

MADELEINES

Préparation : 25 min • Repos : 1 h • Cuisson : 12 min
Pour 36 madeleines

2 citrons • 200 g de beurre • 4 œufs • 200 g de sucre en poudre
• 225 g de farine

● Râpez finement le zeste des citrons. Faites fondre 180 g de beurre.

● Cassez les œufs dans une terrine puis ajoutez le sucre et fouettez vivement pendant 5 min.

● Ajoutez le zeste des citrons, incorporez la farine et le beurre fondu.

● Mélangez intimement et laissez reposer cette pâte pendant 1 h au frais.

● Préchauffez le four à 190 °C.

● Beurrez 3 plaques à madeleines de 12 alvéoles chacune. Versez-y la pâte en ne remplissant les alvéoles qu'aux trois quarts.

● Faites cuire au four de 10 à 12 min.

● Démoulez les madeleines à la sortie du four et laissez-les refroidir sur une grille.

Lorraine

Melon glacé

Réalisez un sirop avec 75 g de sucre en poudre et 1 verre d'eau. Évidez 1 melon à l'aide d'une cuillère parisienne. Faites macérer les billes de melon au frais avec le sirop et servez-les dans les écorces vides avec des petits cubes de glace à la vanille.

Melon à l'abricot

Remplacez la grappe de raisin muscat rouge par des abricots au sirop coupés en petits dés, mélangés à des petits tronçons d'angélique confite et à des amandes effilées.

Melon à l'antillaise

Évidez le melon coupé en deux, prélevez de petites billes de pulpe et faites-les mariner pendant 2 h avec 25 cl de lait de coco et 2 c. à s. de rhum blanc. Saupoudrez de noix de coco et arrosez de quelques gouttes de jus de citron vert.

Melon à la menthe

Retirez toute la chair du melon, mixez-la en purée fine avec les feuilles ciselées d'un petit bouquet de menthe. Servez dans des verres frappés avec une boule de sorbet au citron.

MELON AU PINEAU

Préparation : 30 min • Repos : 1 h • Pour 2 personnes

1 gros melon mûr • 1 grappe de raisin muscat rouge
• 50 cl de pineau blanc • sorbet à la fraise • sorbet à l'ananas
• sorbet au citron vert • menthe fraîche

● Coupez le melon en deux, retirez les graines. Enlevez une partie de la pulpe et taillez-la en petits dés dans un saladier, récupérez le jus qui s'égoutte et ajoutez-le.

● Ajoutez les grains de raisin lavés et essuyés, de préférence pelés.

● Versez délicatement le pineau sur les fruits et laissez reposer au frais pendant 1 h.

● Au moment de servir, remuez délicatement les fruits et remettez-les dans les demi-melons.

● Garnissez de petites boules de sorbet de chaque parfum et décorez de menthe fraîche.

MILLAS

Préparation : 30 min • Cuisson : 35 min • Pour 6 personnes

1 l de lait • 25 g de farine de maïs • 250 g de beurre
• 1 c. à s. d'eau de fleur d'oranger • 6 œufs • 250 g de sucre en poudre

● Préchauffez le four à 160 °C.

● Faites bouillir le lait dans une casserole, versez la farine de maïs en pluie, mélangez.

● Retirez du feu et remuez jusqu'à ce que la bouillie soit presque refroidie.

● Incorporez 200 g de beurre en parcelles et l'eau de fleur d'oranger.

● Ajoutez ensuite les œufs battus en omelette et mélangez en remuant sans arrêt pendant 10 min.

● Ajoutez enfin le sucre et mélangez intimement. Versez la pâte dans un moule beurré et faites cuire au four pendant 35 min. Servez le millas refroidi.

Millas à l'orange

Remplacez l'eau de fleur d'oranger par 1 c. à s. de jus d'orange et 1 c. à s. de zeste d'orange finement râpé. Servez le millas avec de la marmelade d'oranges.

Millas au miel

Incorporez 1 à 2 c. à s. de miel de bruyère dans la pâte pour donner au millas une saveur plus prononcée. Servez avec une sauce au caramel et au miel.

Millas aux fruits confits

Incorporez 2 c. à s. de fruits confits taillés en petits dés dans la pâte. Servez avec des rondelles d'oranges confites ou des bigarreaux confits.

Crème épicée

Réalisez une crème anglaise avec 4 jaunes d'œufs, 60 g de sucre et 50 cl de lait. Faites cuire jusqu'à ce que le mélange nappe la cuillère puis ajoutez des petits biscuits à la cannelle finement émiettés et 2 c. à s. de curaçao (liqueur d'orange).

Millefeuille au sucre glace

Remplacez le fondant par une épaisse couche de sucre glace, qui est la garniture traditionnelle du millefeuille.

Millefeuille à la confiture

Remplacez la crème pâtissière au rhum par de la confiture de framboises. Nappez le millefeuille de fondant coloré en rose.

Millefeuille à la frangipane

Remplacez la crème pâtissière par de la frangipane : versez 50 cl de lait bouillant sur 2 jaunes d'œufs battus avec 1 œuf entier, 80 g de sucre en poudre et 60 g de farine. Faites cuire pendant 10 min, incorporez 30 g de beurre puis 80 g de poudre d'amandes.

Millefeuille à la pistache

Remplacez la crème pâtissière par 250 g de fromage frais bien ferme battu avec 40 g de pistaches concassées, 150 g de sucre glace et 100 g de pâte d'amandes verte coupée en petits dés.

MILLEFEUILLE

Préparation : 30 min • Repos : 10 min • Cuisson : 25 min
Pour 6 personnes

500 g de pâte feuilletée • 15 g de beurre • 100 g de sucre en poudre • 2 œufs • 40 g de farine • 30 cl de lait • 2 c. à s. de rhum • confiture de fruits rouges (facultatif) • fondant à la vanille • chocolat liquide

● Préchauffez le four à 200 °C.

● Abaissez la pâte feuilletée sur 3 mm en un carré de 40 cm de côté. Déposez-la sur la tôle du four beurrée et laissez reposer pendant 10 min.

● Humectez-la au pinceau, saupoudrez-la légèrement de 20 g de sucre, piquez-la à la fourchette et faites cuire au four pendant 25 min.

● Battez les œufs en omelette avec le sucre restant, ajoutez la farine et le lait bouillant en remuant.

● Faites cuire à feu doux pendant 15 min, ajoutez le rhum et laissez refroidir.

● Coupez la pâte en 4 bandes égales de 40 cm sur 10 cm.

● Tartinez 3 bandes de pâte d'un tiers de crème chacune (en ajoutant un peu de confiture rouge si vous le désirez).

● Superposez-les et placez la dernière bande de pâte sur le dessus.

● Recouvrez le dessus d'une couche de fondant à la vanille chauffé doucement puis dessinez des traits de chocolat fondu à l'aide d'une petite pique en bois.

● Avec un couteau-scie, découpez ce millefeuille en 6 portions. Servez froid.

MOELLEUX AUX POMMES

Préparation : 20 min • Cuisson : 1 h • Pour 6 personnes

800 g de pommes • 2 c. à s. de jus de citron • 1 c. à s. de calvados • 200 g de beurre à température ambiante • 200 g de sucre roux en poudre • 3 œufs • 250 g de farine • 1 c. à c. de levure alsacienne

● Pelez les pommes, coupez-les en quartiers, retirez le cœur et les pépins, coupez-les en dés et mettez-les dans un saladier avec le jus de citron et le calvados. Réservez.

● Beurrez 6 petits moules à cake individuels avec 25 g de beurre et préchauffez le four à 180 °C.

● Mélangez le beurre restant avec le sucre en battant jusqu'à l'obtention d'une consistance homogène.

● Ajoutez les œufs un par un puis incorporez la farine progressivement, ainsi que la levure.

● Versez la moitié de la pâte dans les moules individuels, ajoutez les pommes avec le jus de citron et le calvados, versez la pâte restante et faites cuire au four pendant environ 1 h.

● Sortez les moelleux et laissez refroidir avant de démouler.

Normandie

Bavarois aux fraises

Faites chauffer la purée de fraises avec 150 g de sucre en poudre puis ajoutez 4 feuilles de gélatine trempées et essorées. Laissez refroidir et ajoutez 40 cl de chantilly. Versez le mélange dans un moule et faites prendre au réfrigérateur pendant 6 h.

Mousse aux fruits rouges

Remplacez les fraises par un mélange de framboises, de groseilles rouges, de myrtilles et de mûres et la liqueur de fraise par de la liqueur de cassis. Servez avec des langues-de-chat.

Brioche fourrée à la fraise

Évidez 6 petites brioches individuelles après en avoir retiré le chapeau. Remplissez-les de mousse à la fraise et replacez les chapeaux (conservez la mie des brioches pour un pudding).

Tarte à la fraise

Faites cuire un fond de tarte brisée à blanc. Faites-le refroidir et versez la mousse de fraises dessus. Décorez de volutes de chantilly et d'amandes effilées légèrement grillées.

MOUSSE À LA FRAISE

Préparation : 15 min • Repos : 1 h • Pour 4 personnes

800 g de fraises • 175 g de sucre en poudre • 1 c. à s. de liqueur de fraise • 4 blancs d'œufs • ½ citron • sel fin

● Lavez et équeutez les fraises, épongez-les délicatement et réduisez-en 500 g en purée au mixeur en ajoutant 150 g de sucre et la liqueur.

● Fouettez les blancs d'œufs en neige ferme avec 1 pincée de sel puis incorporez le sucre restant.

● Ajoutez ensuite la purée de fraises et répartissez la préparation dans des coupes. Mettez au frais pendant 1 h.

● Coupez les fraises restantes en tranches, arrosez-les de jus de citron puis disposez-les sur les coupes avant de servir.

PAIN D'ÉPICE

Nonnettes

Versez la pâte à pain d'épice dans des moules ovales assez hauts et faites cuire au four pendant 45 min puis laissez refroidir. Coupez les nonnettes en deux et garnissez-les de marmelade d'oranges.

Pain d'épice aux fruits confits

Incorporez 100 g de fruits confits taillés en petits dés et roulés dans de la farine (afin qu'ils restent répartis uniformément) dans la pâte du pain d'épice.

Pains d'épice de Noël

Étalez la pâte du pain d'épice sur 7 à 8 mm d'épaisseur et découpez-y des figurines en forme de bonhommes de neige à l'emporte-pièce. Décorez avec du glaçage à la poche à douille.

Pudding au pain d'épice

Découpez le pain d'épice légèrement rassis en tranches, reconstituez-le en tartinant les tranches de confiture puis remettez le tout dans un moule à cake plus grand, arrosez de 10 cl de sirop d'érable et faites cuire au bain-marie pendant 15 min. Servez avec de la marmelade de pommes.

Préparation : 15 min • Cuisson : 1 h • Repos : 24 h • Pour 6 personnes

10 cl de lait • 200 g de miel • 80 g de sucre en poudre • 2 jaunes d'œufs • 1 c. à s. de bicarbonate de soude • 300 g de farine • 2 c. à s. de jus de citron • 1 c. à c. cannelle • 1 c. à c. de grains d'anis • 25 g de beurre

- Faites chauffer le lait avec le miel et le sucre dans une casserole à feu doux. Remuez régulièrement.

- Battez les jaunes d'œufs dans un bol et versez la moitié du mélange précédent dessus.

- Mélangez le reste avec le bicarbonate. Tamisez la farine dans une terrine et incorporez alternativement les deux mélanges précédents.

- Incorporez ensuite le jus de citron, la cannelle en poudre et l'anis pilé.

- Battez vigoureusement cette pâte pendant 10 min et versez-la dans un moule à cake beurré et tapissé de papier sulfurisé.

- Faites cuire au four à 180 °C pendant 1 h. Démoulez, laissez refroidir sur grille et attendez 24 h avant de déguster.

Alsace

Cotignac

Faites cuire 2 oranges en quartiers et 700 g de coings pelés, épépinés et hachés pendant 1 h. Retirez les oranges, passez le reste au mixeur, ajoutez 300 g de sucre en poudre et faites cuire en purée épaisse.

Confiture de coings aux cerises

Faites cuire 1 kg de coings pelés, épépinés et râpés avec 10 cl d'eau pendant 15 min. Ajoutez un peu de cannelle, 100 g de cerises confites, 200 g de raisins secs et faites cuire jusqu'à la prise en confiture.

Coings aux épices

Faites bouillir à l'eau des tranches de coings pelés et épépinés pendant 30 min, égouttez-les et faites-les cuire dans un sirop de sucre avec 3 c. à s. de vinaigre blanc et 1 c. à s. de graines de coriandre.

Gelée de coings

Faites cuire des coings pelés et épépinés à gros bouillons dans de l'eau et laissez égoutter toute la nuit. Faites cuire le jus obtenu avec autant de sucre en poudre jusqu'à la prise en gelée.

PÂTE DE COINGS

Préparation : 15 min • Cuisson : 1 h 30 • Pour 2 pots de 450 g environ

1 kg de coings • 1 citron • 500 g de sucre en poudre

● Lavez et essuyez les coings, coupez-les en quartiers sans les peler, retirez le cœur et les pépins. Taillez-les en petits dés puis placez-les dans une grande casserole.

● Ajoutez le citron coupé en quartiers après avoir râpé et réservé le zeste. Couvrez juste d'eau et faites bouillir.

● Laissez cuire à gros bouillons pendant 1 h. Retirez les quartiers de citron.

● Réduisez les coings en purée et remettez celle-ci dans une casserole avec le sucre et le zeste de citron.

● Faites cuire en remuant sans arrêt pendant 30 min, puis versez la pâte sur un plat et laissez refroidir complètement. Découpez la pâte en carrés ou en rectangles.

Pets-de-nonne fourrés

Une fois les pets-de-nonne cuits, laissez-les tiédir, fendez-les en deux et fourrez-les de crème pâtissière à la vanille, de confiture, de gelée, de crème frangipane ou de chantilly.

Pets-de-nonne au caramel

Préparez un caramel liquide assez foncé et trempez-y les pets-de-nonne sur une face pour les assembler en couronne ou même en pyramide comme une pièce montée.

Sauce au chocolat blanc et à l'orange

Faites fondre au bain-marie 200 g de chocolat blanc râpé ; ajoutez 25 cl de crème fleurette chauffée avec 4 c. à s. de lait, incorporez 15 g de beurre et 1 c. à s. de liqueur d'orange.

Sauce aux mûres

Faites cuire 500 g de mûres avec 15 cl d'eau et 5 c. à s. de vin blanc dans une casserole pendant 15 min. Passez au tamis et incorporez 60 g de sucre et le zeste de 1 citron râpé sur le feu.

PETS-DE-NONNE

Préparation : 20 min • Cuisson : 25 min • Pour 4 personnes

70 g de beurre • 40 g de sucre en poudre • 125 g de farine en poudre • 3 œufs • huile de friture • sucre glace • sel fin

● Faites bouillir 25 cl d'eau en lui ajoutant le beurre coupé en morceaux, 1 pincée de sel et le sucre. Lorsque l'eau bout, versez la farine et mélangez vigoureusement.

● Retirez la casserole du feu et incorporez les œufs un par un, en mélangeant intimement.

● Prélevez un peu de pâte à l'aide d'une cuillère à café puis faites-la glisser dans une bassine d'huile bouillante.

● Renouvelez l'opération jusqu'à ce que la bassine soit remplie.

● Lorsque les beignets sont bien dorés, retournez-les et faites-les dorer de l'autre côté.

● Égouttez-les et saupoudrez-les de sucre glace. Faites cuire la pâte restante de la même façon.

Pithiviers
aux fruits confits

Incorporez 4 c. à s. de fruits
confits coupés en petits
morceaux à la crème
aux amandes (angélique,
bigarreaux et écorce de cédrat
de préférence).

Garniture croquante

Incorporez 6 à 8 petits
macarons secs aux amandes,
grossièrement pilés à la crème
aux amandes.

Pithiviers d'anniversaire

Après cuisson, badigeonnez
le pithiviers d'une légère couche
de caramel et collez dessus
un décor de dragées de toutes
les couleurs.

Pithiviers épicé

Remplacez le rhum par
du cognac et ajoutez 2 pincées
de safran, ½ c. à c. de cannelle
en poudre et ½ c. à c. de
coriandre moulue à la crème
aux amandes.

PITHIVIERS

Préparation : 30 min • Cuisson : 30 min • Pour 8 personnes

4 œufs • 250 g de poudre d'amandes • 250 g de sucre en poudre
• 2 sachets de sucre vanillé • 200 g de beurre • 2 c. à s. de rhum
• 800 g de pâte feuilletée

- Mélangez intimement les blancs des œufs et la poudre d'amandes.
  Incorporez le sucre en poudre et le sucre vanillé puis le beurre
  en pommade et enfin le rhum.

- Partagez la pâte feuilletée en deux moitiés. Abaissez une portion
  en formant un disque de 4 mm d'épaisseur et posez-le sur la tôle
  du four légèrement humectée d'eau.

- Étalez la crème aux amandes sur la pâte sans aller jusqu'au bord
  et badigeonnez le tour avec du jaune d'œuf.

- Posez la seconde abaisse étalée en disque par-dessus.
  Soudez les bords.

- Rayez le dessus à la pointe du couteau et badigeonnez le tout
  au jaune d'œuf. Faites cuire à 240 °C pendant 10 min,
  puis à 220 °C pendant 20 min. Laissez refroidir avant de servir.

Pêches au vin doux

Remplacez les poires par des pêches jaunes ébouillantées et pelées, dénoyautées et coupées en deux, cuites dans 15 cl de vin blanc doux (pendant 25 min), sans cannelle ni genièvre. Remplacez la gelée de coing par de la gelée de framboise.

Prunes au porto

Remplacez les poires par des quetsches, coupées en deux et dénoyautées, cuites dans du porto rouge (pendant 30 min), sans cannelle ni genièvre. Remplacez la gelée de coing par de la gelée de pomme.

Poires pochées aux fruits secs

Ajoutez des abricots séchés et des gros raisins secs aux poires en cours de cuisson. Remplacez la cannelle par une gousse de vanille et la gelée de coing par de la gelée de mûre.

Tarte aux poires

Une fois les fruits pochés et bien égouttés, laissez-les refroidir et disposez-les en garniture sur un fond de tarte cuit à blanc tapissé d'une couche de macarons secs aux amandes réduits en miettes.

POIRES AU VIN ROUGE

Préparation : 25 min • Cuisson : 1 h • Repos : 3 h • Pour 4 personnes

15 cl de vin rouge corsé • 100 g de sucre en poudre • 1 bâton de cannelle • 6 baies de genièvre • 8 poires à peine mûres • 2 c. à s. de gelée de coing

● Réunissez le vin, le sucre, la cannelle et les baies de genièvre concassées dans une casserole.

● Ajoutez 10 cl d'eau et portez à ébullition, puis laissez bouillir pendant 10 min. Filtrez ce liquide.

● Pelez les poires, mettez-les dans une casserole propre et versez le sirop au vin dessus.

● Faites-les pocher dans le sirop bouillant pendant 45 min, à couvert sur feu modéré.

● Incorporez la gelée de coing et portez à ébullition. Retirez du feu. Laissez refroidir pendant 3 h et servez très frais.

Poires à la dijonnaise

Remplacez la sauce au chocolat par un coulis de cassis frais réalisé avec 300 g de baies mixées avec 100 g de sucre glace. Préférez du sorbet au cassis à la glace à la vanille.

Poires Melba

Remplacez la sauce au chocolat par un coulis de framboises réalisé avec 300 g de framboises mixées avec 150 g de sucre en poudre. Conservez la glace à la vanille, mais décorez le tout de crème Chantilly et d'amandes effilées.

Poires à l'anglaise

Remplacez la sauce au chocolat par une crème anglaise à la vanille et servez le tout avec des langues-de-chat et des cigarettes russes.

Poires à l'antillaise

Remplacez la sauce au chocolat par un coulis d'ananas réalisé avec 6 tranches d'ananas au sirop réduites en purée avec quelques cuillerées de sirop et un trait de rhum. Remplacez la glace à la vanille par une glace au rhum et aux raisins secs.

POIRES BELLE-HÉLÈNE

Préparation : 20 min • Cuisson : 30 min • Pour 6 personnes

6 grosses poires williams • 1 citron • 50 g de sucre en poudre
• 1 gousse de vanille • 125 g de chocolat noir • 30 g de beurre
• 1 l de glace à la vanille

● Faites cuire les poires pelées et entières, citronnées, dans 20 cl d'eau tiède où vous aurez préalablement fait dissoudre le sucre, avec la gousse de vanille, pendant 20 min.

● Égouttez-les dans un compotier. Retirez la gousse de vanille.

● Faites réduire le jus de cuisson de moitié à feu vif. Ajoutez le chocolat cassé en morceaux et faites fondre sans laisser bouillir, puis incorporez le beurre en parcelles et mélangez intimement.

● Prélevez des boules de glace et disposez-les dans des coupes de service bien froides.

● Posez une poire pochée dessus et arrosez de sauce au chocolat chaude. Servez aussitôt.

POIRES BOURDALOUE

Préparation : 30 min • Cuisson : 20 min • Pour 6 personnes

1 kg de poires williams • 1 citron • 180 g de sucre • 2 œufs entiers
• 1 jaune d'œuf • 40 g de farine • 50 cl de lait • 1 gousse de vanille
• 1 pâte brisée

● Faites pocher doucement les poires pelées, coupées en deux, évidées et citronnées dans 25 cl d'eau avec 100 g de sucre pendant 15 min. Égouttez-les et laissez-les tiédir.

● Mélangez intimement les œufs, le jaune, le sucre restant et la farine tamisée dans une casserole inoxydable.

● Versez le lait filtré chauffé avec la gousse de vanille fendue en deux par-dessus et faites cuire la crème en remuant sans arrêt à feu doux.

● Retirez du feu et continuez à remuer jusqu'à ce que la préparation devienne tiède.

● Versez cette crème sur le fond de tarte cuit parallèlement à blanc au four à 180 °C pendant 15 min.

● Disposez les demi-poires incisées sur le dessus en étoile et repassez la tarte au four pendant 5 min.

Poires bourdaloue individuelles

Supprimez le fond de tarte et disposez les poires dans des ramequins où vous aurez réparti la crème. Passez-les au four de 5 à 6 min.

Pommes bourdaloue

Remplacez les poires par des pommes à cuire, coupées en deux, évidées et citronnées puis pochées dans un mélange d'eau et de cidre, avec un peu plus de sucre que pour les poires (225 g environ).

Pêches bourdaloue

Remplacez les poires par de gros oreillons de pêches jaunes (soit crues et pochées, soit en conserve au naturel au sirop).

Poires bourdaloue aux amandes

Incorporez 2 c. à s. de poudre d'amandes dans la crème. Décorez la tarte avec des amandes effilées légèrement grillées ou des petits macarons aux amandes émiettés.

Pâte ajourée

Pour obtenir un effet plus décoratif, entaillez la pâte avant de la faire cuire en la transperçant complètement et en écartant légèrement les entailles de manière à ajourer la pâte.

Pompe à l'huile aux oignons doux

Ajoutez 200 g d'oignons doux finement émincés et fondus dans une poêle avec 1 c. à s. d'huile d'olive dans la pâte une fois levée. N'utilisez que 50 g de sucre en poudre.

Pompe à l'huile à l'anis

Ajoutez 1 c. à s. de grains d'anis finement pilés dans la pâte et remplacez l'eau de fleur d'oranger par 5 cl de pastis délayés dans 5 cl d'eau.

Pompe à l'huile au miel de lavande

Remplacez le sucre en poudre par 4 c. à s. de miel de lavande et décorez la pompe avec des fleurs de lavande finement émiettées ou des petites boules de mimosa confites.

POMPE À L'HUILE

Préparation : 15 min • **Repos :** 3 h 30 • **Cuisson :** 20 min
Pour 4 personnes

15 g de levure de boulanger • 250 g de farine • 80 g de sucre en poudre • 12 cl d'huile d'olive • 10 cl d'eau de fleur d'oranger • sel

● Délayez la levure dans un bol avec 10 cl d'eau tiède, couvrez le bol et laissez lever.

● Mélangez la farine tamisée, le sucre et 1 pincée de sel dans une terrine. Ajoutez ensuite 10 cl l'huile d'olive, l'eau de fleur d'oranger et la levure.

● Pétrissez ce mélange avec les mains puis couvrez et laissez lever pendant 3 h à température ambiante.

● Versez la pâte sur une tôle huilée, sur une épaisseur de 2 cm environ. Façonnez une galette et entaillez-la sur le dessus avec un couteau.

● Laissez lever pendant encore 30 min dans un endroit assez chaud. Faites cuire la pompe au four à 200 °C de 15 à 20 min.

● Badigeonnez-la légèrement d'huile et laissez refroidir.

Provence

Riz au lait aux fruits secs

Remplacez le bâton de cannelle
par une gousse de vanille.
Garnissez le riz au lait de petits
morceaux de pruneaux et
d'abricots séchés préalablement
gonflés dans du thé.

Riz au lait aux fruits exotiques

Remplacez les pralines roses
par des petits quartiers
d'ananas et des rondelles
de carambole. Accompagnez
d'un coulis de fruits de la
Passion, tamisé et sucré.

Riz au lait aux fraises

Remplacez les pralines roses
par des petites fraises,
équeutées, dont vous aurez
trempé le bout dans du fondant
délayé et fondu, coloré
avec quelques gouttes
de colorant rose.

Riz au lait au nougat

Remplacez les pralines roses
par des éclats de nougat
de Montélimar, des pistaches
mondées et des amandes
entières mondées et
grossièrement concassées.

RIZ AU LAIT FERMIER AUX PRALINES ROSES

Préparation : 5 min • Cuisson : 35 min • Pour 4 personnes

*250 g de riz à grains ronds • 1 l de lait cru • 1 bâton de cannelle
• 50 g de beurre • 125 g de sucre roux en poudre • 125 g de pralines
roses • sel fin*

● Faites bouillir le riz dans une casserole avec 1,5 l d'eau
pendant 3 min puis égouttez-le.

● Par ailleurs, faites chauffer le lait avec le bâton de cannelle
dans une casserole à fond épais, jusqu'à la limite de l'ébullition
puis ôtez du feu et retirez le bâton de cannelle.

● Versez le riz égoutté dans la casserole de lait aromatisé, ajoutez
le beurre et 1 pincée de sel.

● Faites cuire pendant 15 min sur feu doux. Incorporez ensuite le sucre
et poursuivez la cuisson en remuant de temps en temps pendant
environ 20 min.

● Servez le riz au lait tiède dans des coupes, en parsemant le dessus
de pralines roses concassées.

SABAYON AU CHAMPAGNE

Préparation : 5 min • Cuisson : 10 min • Pour 4 personnes

5 jaunes d'œufs • 125 g de sucre en poudre • 1 pincée de cannelle
• 40 cl de champagne • jus de citron • sucre cristallisé • 2 oranges

● Travaillez vigoureusement les jaunes d'œufs, le sucre et la cannelle dans une casserole à fond épais.

● Placez cette casserole au bain-marie dans une eau frémissante et versez peu à peu le champagne sans cesser de fouetter.

● Au bout de 10 min, lorsque la préparation est onctueuse, retirez du feu et laissez tiédir.

● Passez le bord des coupes de service dans le jus de citron puis le sucre cristallisé.

● Répartissez le sabayon dans les coupes et servez aussitôt. Vous pouvez aussi le servir frappé. Décorez de fins zestes d'orange et proposez-le éventuellement accompagné de quartiers d'orange.

Sabayon au marsala

Remplacez le champagne par du marsala et proposez en même temps des petits macarons aux amandes amères.

Sabayon au sauternes

Remplacez le champagne par du sauternes et proposez en même temps une salade de fruits exotiques (mangue, papaye, ananas).

Sabayon au frontignan

Remplacez le champagne par du frontignan et proposez en même temps du raisin frais (chasselas ou muscat).

Sabayon au banyuls

Remplacez le champagne par du banyuls et proposez en même temps des truffes au chocolat parfumées au banyuls.

Sablés glacés

Nappez le dessus des sablés avec du fondant parfumé au calvados ou collez-les deux par deux avec du fondant au calvados ou à la vanille.

Sablés aux lamelles de pommes

Déposez 1 goutte de caramel sur les sablés et collez 1 fine rondelle de pomme pelée et citronnée ou bien 1 rondelle de pomme séchée par-dessus.

Sablés aux amandes

Remplacez 50 à 60 g de farine par la même quantité de poudre d'amandes très fine. Décorez les sablés de quelques amandes effilées ou d'amandes entières concassées.

Aumônières aux sablés

Confectionnez des aumônières : remplissez chaque crêpe (voir p. 308) de 2 biscuits superposés séparés par du caramel et d'un peu de fruits rouges mélangés.

SABLÉS AU CALVADOS

Préparation : 25 min • **Repos :** 30 min • **Cuisson :** 25 min
Pour 1 douzaine de sablés

250 g de farine • 70 g de sucre • 1 c. à s de calvados • 150 g de beurre • 1 jaune d'œuf • sel fin

● Mélangez la farine et le sucre avec 1 pincée de sel fin et le calvados dans une terrine.

● Incorporez ensuite le beurre froid en petites parcelles en travaillant le mélange du bout des doigts.

● Ramassez la pâte en boule et laissez-la reposer au frais pendant 30 min.

● Abaissez la pâte avec la paume de la main jusqu'à 1 cm d'épaisseur. Découpez les sablés en triangles. Dorez au jaune d'œuf.

● Faites-les cuire sur la tôle du four à 200 °C pendant 25 min. Laissez-les refroidir complètement.

Normandie

Sablés au citron

Incorporez 2 c. à s. de zeste
de citron finement râpé dans
la pâte. Vous pouvez également
napper les sablés d'une fine
couche de lemon curd.

Sablés au chocolat

Incorporez 1 c. à s. de cacao
non sucré dans la pâte. Étalez
une fine couche de chocolat
noir fondu sur les sablés
refroidis à l'aide d'une spatule
puis dessinez-y de fines rayures.

Sablés « duos »

Confectionnez des sablés
nature (ou au beurre salé)
et accolez-les deux par deux
en étalant entre eux une fine
couche de caramel, de confiture
rouge ou de marmelade
d'oranges amères.

Sablés au café

Ajoutez 1 c. à s. de café noir
dans la pâte et nappez les
sablés refroidis d'un caramel
très épais parfumé au café.

SABLÉS BRETONS

Préparation : 25 min • Cuisson : 15 min • Pour 30 à 40 sablés

*1 œuf • 125 g de sucre • 250 g de farine • 125 g de beurre
• ¼ de c. à c. de sel fin*

● Battez l'œuf entier dans une terrine, ajoutez le sel et le sucre.
Travaillez le mélange jusqu'à ce qu'il devienne mousseux
et prenne une couleur jaune pâle.

● Ajoutez d'un seul coup la farine tamisée. Travaillez le mélange
à la spatule.

● Enfin, sablez la pâte en l'effritant entre vos doigts.

● Versez-la sur le plan de travail et incorporez le beurre en pétrissant
avec les mains. La pâte ne doit pas coller aux doigts mais former
une boule compacte.

● Abaissez la pâte au rouleau et découpez-y des cercles de 8 cm
de diamètre à l'aide d'un emporte-pièce cannelé.

● Déposez les sablés sur la tôle du four tapissée de papier sulfurisé
et faites cuire au four pendant 15 min à 180 °C.

● Décollez-les à la sortie du four et faites-les refroidir sur une grille.

Bretagne

Vacherin au cassis

Achetez des coques
de meringue chez le pâtissier
et garnissez-les de sorbet
au cassis détendu (sorti
à l'avance pour qu'il soit moins
froid) et mélangé avec
des baies de cassis.

Salade de fruits glacée

Faites macérer des fraises, des
cerises, des framboises et des
myrtilles avec un peu de kirsch
puis servez-les avec le sorbet
au cassis.

Ananas surprise

Coupez un ananas frais
en deux, récupérez la pulpe,
taillez-la en petits dés.
Remettez-les dans les moitiés
d'ananas évidées avec 1 boule
de sorbet au cassis et décorez
de crème Chantilly.

Duo de sorbets

Réalisez un sorbet à la
framboise en suivant la même
recette que celle du sorbet
au cassis. Servez les sorbets
en duo, accompagnés de fruits
rouges frais.

SORBET AU CASSIS

Préparation : 25 min • Prise au froid : 2 h • Pour 6 personnes

*250 g de sucre cristallisé • 1 citron • 40 cl de jus de cassis • 2 blancs
d'œufs • 50 g de sucre en poudre • 80 g de grains de cassis (facultatif)*

● Préparez un sirop en faisant bouillir le sucre cristallisé
avec 40 cl d'eau pendant 5 min. Écumez, ajoutez le jus du citron
et le jus de cassis.

● Faites bouillir, filtrez et laissez refroidir.

● Faites prendre au froid dans un bac à congélation pendant 1 h.

● Versez alors le sorbet à moitié pris dans une terrine et incorporez-y
les blancs d'œufs battus en neige très ferme, le sucre en poudre
et les grains de cassis.

● Mélangez intimement et faites prendre à nouveau au froid
pendant 1 h.

Soupe aux croûtons

Faites dorer sur chaque face à la poêle 2 grandes tranches de pain brioché beurrées. Découpez-les en petits cubes et servez la soupe chaude dans des assiettes creuses garnies de ces croûtons.

Soupe aux fraises

Remplacez les cerises par 600 g de grosses fraises, ne les faites pas cuire, mais seulement macérer pendant plusieurs heures dans 1 l de vin rouge mélangé à 200 g de sucre en poudre. Servez très frais. (Supprimez le beurre et utilisez le vin frais.)

Soupe aux prunes

Remplacez les cerises par des mirabelles dénoyautées, le vin rouge par du vin blanc doux, le kirsch par de la mirabelle et la gelée de mûre par de la gelée de pomme.

Soupe à l'orange

Remplacez la moitié des cerises par des tranches d'oranges non traitées lavées, essuyées et coupées en rondelles. Retaillez les rondelles en petits quartiers.

SOUPE AUX CERISES

Préparation : 10 min • Cuisson : 15 min • Pour 4 personnes

600 g de grosses cerises noires et juteuses bien mûres • 50 g de beurre
• 4 c. à s. de gelée de mûre • 20 cl de vin rouge • 20 cl de kirsch
• 4 c. à s. de sucre en poudre

● Lavez, épongez et dénoyautez les cerises en récupérant le jus s'échappant lors de cette opération.

● Faites fondre 25 g de beurre dans une casserole, ajoutez la gelée de mûre et mélangez sur feu moyen pendant 3 min.

● Versez 75 cl d'eau tiède en fouettant puis le vin rouge et le kirsch.

● Mélangez de 5 à 7 min à feu moyen puis ajoutez les cerises, le sucre et le reste de beurre.

● Faites chauffer pendant encore 5 min en remuant de temps en temps. Attendez 10 min avant de servir.

Alsace

Tarte potiron-cacao

Ajoutez 1 c. à s. de cacao non sucré dans le mélange de poudre d'amandes et de crème. Servez la tarte saupoudrée de cacao ou bien d'éclats de chocolat noir amer.

Tarte potiron-café

Ajoutez 1 c. à c. de café soluble dans les œufs battus en omelette et servez la tarte au potiron décorée de grains de café à la liqueur.

Tarte au potiron et aux noix de pécan

Remplacez la poudre d'amandes par des noix de pécans pilées dans la garniture. Décorez la tarte de cerneaux de noix de pécan.

Gratin sucré au potiron

Ne versez pas la garniture au potiron sur un fond de tarte, mais dans un moule à gratin bien beurré. Faites cuire au four de 15 à 20 min et servez le gratin parsemé de biscuits de Reims émiettés.

TARTE À LA CITROUILLE

Préparation : 25 min • Cuisson : 1 h • Repos : 2 h • Pour 6 personnes

1 kg de potiron • 100 g de poudre d'amandes • 10 cl de crème fraîche épaisse • 3 œufs • 150 g de sucre en poudre • 300 g de pâte brisée • 30 g d'amandes effilées (facultatif)

● Retirez les filandres du potiron et coupez-le en gros morceaux sans le peler. Faites-les cuire avec 1 verre d'eau pendant 15 min.

● Égouttez le potiron et pelez-le, puis réduisez la pulpe en purée.

● Mélangez cette pulpe avec la poudre d'amandes et la crème. Incorporez ensuite les œufs battus en omelette et le sucre.

● Abaissez la pâte et garnissez-en un moule de 26 cm de diamètre. Versez la garniture dessus et lissez la surface.

● Faites cuire au four à 220 °C pendant 40 min. Parsemez d'amandes effilées et remettez la tarte au four pendant 2 min.

● Laissez-la reposer pendant 2 h avant de la servir.

Tarte au citron meringuée

Montez 4 blancs d'œufs
en neige très ferme et ajoutez
100 g de sucre glace au dernier
moment. Déposez ce mélange
sur la tarte au citron refroidie
à l'aide d'une spatule.

Tarte à l'orange

Remplacez les 4 citrons par
3 oranges à jus et ajoutez
1 c. à c. de fécule de maïs
dans la crème. Décorez
éventuellement la tarte de fines
rondelles d'oranges confites.

Tarte à l'ananas

Remplacez les citrons par
25 cl de purée d'ananas réalisée
avec des tranches d'ananas
au sirop bien égouttées et
mixées. Saupoudrez la tarte de
sucre glace au pochoir en forme
d'étoile.

Tarte au citron épicée

Ajoutez 1 c. à c. de gingembre
moulu et 1 c. à s. de curcuma
en poudre dans la purée
de citrons. Remplacez l'eau
de fleur d'oranger par
1 c. à s. de miel liquide.

TARTE AU CITRON

Préparation : 1 h • Repos : 1 h • Cuisson : 30 min • Pour 6 personnes

*250 g de farine • 140 g de sucre en poudre • 5 œufs • 190 g de beurre
• 4 gros citrons à peau fine • 1 c. à s. d'eau de fleur d'oranger*

● Préparez une pâte sablée avec la farine tamisée dans une terrine,
60 g de sucre, 2 œufs et 130 g de beurre ramolli en parcelles.

● Ramassez la pâte en boule et laissez-la reposer au frais pendant 1 h.

● Lavez et essuyez les citrons, coupez-les en rondelles, retirez les pépins
et hachez les rondelles (peau et pulpe) au mixeur. Faites fondre
le beurre restant.

● Mélangez le sucre et les œufs restants dans un saladier, ajoutez
la purée de citron, le beurre fondu et l'eau de fleur d'oranger.
Mélangez intimement.

● Abaissez la pâte pour en garnir un moule à tarte. Versez-y
la préparation au citron et faites cuire au four à 180 °C pendant
30 min. Laissez refroidir avant de servir.

Provence

Tarte à la cassonade

Garnissez un fond de tarte cuit à blanc pendant 10 min d'un mélange de 150 g de poudre d'amandes, 20 cl de crème fraîche épaisse, 300 g de cassonade, 3 jaunes d'œufs, puis 3 blancs montés en neige ; remettez au four pendant 35 min.

Tarte à la vergeoise

Garnissez une tourtière beurrée de 300 g de pâte à pain ou briochée ; versez dessus 2 œufs entiers mélangés avec 3 c. à s. de crème fraîche, saupoudrez de 150 g de vergeoise et faites cuire pendant 30 min à 210 °C.

Tarte au sucré vanillé

Garnissez un fond de tarte cuit à blanc pendant 15 min d'un mélange de 4 blancs en neige avec 40 cl de lait tiède et sucré (75 g de sucre). Faites cuire jusqu'à épaississement et laissez complètement refroidir.

Tarte à la cannelle

Garnissez un fond de tarte cuit à blanc pendant 10 min d'un mélange de 3 jaunes d'œufs fouettés avec 150 g de sucre, 20 cl de lait tiède et 3 c. à s. de cannelle ; repassez la tarte au four de 15 à 20 min.

TARTE AU SUCRE

Préparation : 20 min • Repos : 2 h • Cuisson : 35 min • Pour 6 personnes

10 g de levure de boulanger • 250 g de farine • 30 g de sucre blanc en poudre • 200 g de beurre • 2 œufs entiers • 150 g de sucre roux en poudre • 1 jaune d'œuf • 10 cl de lait • 1 sachet de sucre vanillé • sucre glace • sel fin

● Émiettez la levure dans un bol avec un peu d'eau tiède.

● Tamisez 250 g de farine dans une terrine, ajoutez le sucre blanc, 1 pincée de sel et 130 g de beurre en parcelles, puis 1 œuf entier et la levure délayée.

● Mélangez intimement, ramassez la pâte en boule et laissez-la reposer à couvert pendant 2 h à température ambiante.

● Beurrez largement une tourtière, pétrissez la pâte pendant 5 min et abaissez-la sur 5 mm d'épaisseur ; garnissez-en le moule.

● Mélangez le sucre roux, l'œuf restant et le jaune d'œuf, puis le lait et le beurre restant. Versez cette préparation sur la tarte et enfournez à mi-hauteur à 210 °C.

● Laissez cuire pendant 35 min. Saupoudrez de sucre vanillé mélangé avec du sucre glace juste à la sortie du four.

Champagne-
Ardenne

Salade de clémentines au cacao

Séparez les clémentines en quartiers, réunissez-les dans une coupe puis arrosez-les de jus d'orange sucré coloré avec un peu de grenadine et saupoudrez légèrement de cacao.

Gelée au vin blanc

Faites bouillir 30 cl de vin blanc doux, 10 cl de jus de pomme et 50 g de sucre. Laissez tiédir et ajoutez 4 feuilles de gélatine. Versez une fine couche de ce mélange dans 6 ramequins, ajoutez les clémentines, couvrez de gelée liquide et faites prendre au froid pendant 1 h.

Clémentines caramélisées

Coupez les clémentines au tiers de la hauteur, saupoudrez-les de sucre roux et rangez-les sur une grille pour les faire caraméliser pendant 2 min sous la rampe du four.

Coulis de clémentines

Faites cuire 30 cl de jus de clémentines pressées dans une casserole avec 1 c. à c. de fécule de pomme de terre et 1 c. à s. de caramel liquide en remuant pendant 2 min. Laissez tiédir.

TARTE AUX CLÉMENTINES

Préparation : 35 min • Cuisson : 30 min • Pour 6 personnes

250 g de pâte brisée • 25 g de beurre • 200 g de fromage frais
• 2 c. à s. de zeste d'orange finement râpé • 1 kg de clémentines
• 2 c. à s. de jus de citron

● Préchauffez le four à 175 °C.

● Étalez la pâte brisée à l'aide d'un rouleau à pâtisserie et garnissez-en un moule à tarte beurré de 26 cm de diamètre.

● Étalez une couche de haricots secs dessus et faites cuire le fond de tarte à blanc pendant 25 min.

● Pendant ce temps, fouettez vivement le fromage frais avec le zeste d'orange. Pelez les clémentines et séparez les quartiers.

● Sortez la tarte, retirez les haricots secs et garnissez tout le fond de fromage frais parfumé.

● Rangez les quartiers de clémentines dessus et faites cuire la tarte au four pendant 5 min. Arrosez de jus de citron et servez aussitôt.

TARTE AUX FIGUES

Préparation : 1 h • Repos : 1 h • Cuisson : 1 h 30 • Pour 6 personnes

1 kg de petites figues • 200 g de miel corse • 250 g de pâte brisée • 250 g de fraises • 50 g de sucre en poudre • 1 c. à s. de crème fraîche épaisse

● Lavez les figues et essuyez-les, rangez-les debout les unes contre les autres dans une casserole basse et versez le miel dessus.

● Faites chauffer doucement et couvrez. Laissez cuire le plus doucement possible pendant 1 h jusqu'à ce que les figues soient confites dans le miel. Laissez refroidir complètement sans y toucher.

● Garnissez une tourtière beurrée avec la pâte abaissée, couvrez de film alimentaire et laissez au réfrigérateur pendant 1 h.

● Préchauffez le four à 180 °C.

● Équeutez les fraises et mettez-les dans une casserole, ajoutez le sucre et faites chauffer en remuant pendant 10 min.

● Incorporez la crème fraîche et mélangez. Versez cette compote sur le fond de tarte.

● Faites cuire au four pendant 20 min. Ajoutez délicatement les figues confites sur le fond de tarte. Passez-la au four pendant quelques minutes et servez tiède ou refroidi.

Tarte aux groseilles

Remplacez les myrtilles par des baies de groseilles rouges et blanches, disposées en cercles concentriques. Vous pouvez aussi ajouter quelques groseilles à maquereau.

Tarte aux fruits rouges

Remplacez les myrtilles par un mélange de fruits rouges : fraises des bois, airelles, petites cerises acidulées dénoyautées et framboises.

Tarte « glacée »

Une fois la tarte cuite, sortez-la du four et saupoudrez-la généreusement de 100 à 125 g de sucre glace puis repassez-la au four pendant 5 min pour la « glacer ».

Tarte meringuée

Une fois la tarte cuite, sortez-la du four et laissez-la tiédir puis nappez-la de volutes de meringue (constituée de 2 blancs d'œufs fouettés avec 50 g de sucre glace). Faites cuire de nouveau au four pendant 5 min pour colorer la meringue.

TARTE AUX MYRTILLES

Préparation : 15 min • **Repos :** 30 min • **Cuisson :** 35 min
Pour 6 personnes

200 g de farine • 145 g de beurre • 150 g de sucre en poudre • 1 jaune d'œuf • 2 c. à s. de chapelure • 600 g de myrtilles fraîches • 2 œufs • 10 cl de crème fraîche • sel fin

- Versez la farine dans une terrine. Incorporez-y 125 g de beurre ramolli en parcelles. Malaxez la pâte puis creusez-y une fontaine.

- Ajoutez 25 g de sucre, le jaune d'œuf, 1 pincée de sel et 2 c. à s. d'eau froide. Pétrissez la pâte pendant 5 min, ramassez-la en boule et laissez-la reposer au frais pendant 30 min.

- Préchauffez le four à 190 °C.

- Abaissez la pâte sur 5 mm d'épaisseur et garnissez-en une tourtière bien beurrée. Piquez le fond et recouvrez-le d'une couche régulière de chapelure.

- Répartissez les myrtilles par-dessus et faites cuire la tarte au four pendant 20 min.

- Pendant ce temps, fouettez le sucre restant avec les œufs entiers et la crème fraîche.

- Sortez la tarte du four et versez délicatement ce mélange sur les myrtilles.

- Remettez la tarte à cuire au four à 180 °C pendant encore 15 min. Laissez tiédir avant de déguster.

Franche-
Comté

Tarte aux reines-claudes

Choisissez des reines-claudes
juste mûres et dénoyautez-les.
Rangez-les sur le fond de tarte
à la place des quetsches, après
avoir saupoudré le fond de
quelques biscottes pilées.

Sur un fond de macarons

Avant de disposer les fruits sur
le fond de tarte, parsemez-le
d'une couche régulière de
macarons secs aux amandes
finement pilés.

Tarte bicolore
(mirabelles et cerises)

Confectionnez la tarte
en alternant, en cercles
concentriques, des mirabelles
et des grosses cerises rouges
dénoyautées.

Tarte à l'alsacienne

Après avoir disposé les fruits
sur le fond de tarte, versez
délicatement sur le dessus
un mélange bien homogène de
12 cl de lait, 2 c. à s. de poudre
d'amandes et autant de sucre
en poudre.

TARTE AUX QUETSCHES

Préparation : 30 min • Repos : 30 min • Cuisson : 25 min
Pour 6 personnes

*225 g de farine • 150 g de beurre • 200 g de sucre en poudre
• 800 g de quetsches • 2 c. à s. de chapelure • sel fin*

- Préparez une pâte brisée avec la farine, 125 g de beurre, 25 g de sucre,
  1 pincée de sel et juste assez d'eau froide pour amalgamer
  les ingrédients. La pâte doit être assez ferme.

- Laissez reposer la pâte en boule pendant 30 min.

- Préchauffez le four à 240 °C.

- Lavez, essuyez et dénoyautez les quetsches.

- Abaissez la pâte et garnissez-en un moule à tarte beurré de 26 cm
  de diamètre.

- Saupoudrez le fond de tarte avec 50 g de sucre et la chapelure.
  Disposez les demi-prunes sur le fond en commençant par le pourtour,
  côté bombé contre la pâte (pour que le jus ne coule pas).

- Saupoudrez du sucre restant et faites cuire au four pendant
  environ 25 min.

- Les prunes doivent être légèrement caramélisées. Servez la tarte tiède.

Lorraine

Gratin d'abricots

Rangez les abricots dans un plat à gratin et recouvrez-les de 3 œufs battus en omelette avec 15 cl de crème fraîche, 60 g de sucre en poudre et 190 g de poudre d'amandes. Faites cuire au four à 180 °C pendant 20 min.

Chaussons aux abricots

Répartissez les abricots sur de grands cercles de pâte feuilletée, saupoudrez de sucre en poudre puis repliez-les, soudez-les et dorez-les au jaune d'œuf. Faites cuire au four à 180 °C pendant 30 min.

Tourte aux abricots

Divisez 600 g de pâte feuilletée en deux pâtons : confectionnez une tarte avec la moitié de la pâte et les abricots, tartinez de marmelade et faites cuire au four pendant 35 min. Posez la seconde abaisse en couvercle, soudez les bords et enfournez pendant encore 15 min.

Tarte abricot-lavande

Remplacez le romarin par des fleurs de lavande non traitées. Servez la tarte décorée de petites fleurs de lavande, accompagnée d'une boule de glace à la lavande (voir p. 336).

TARTE D'ABRICOTS AU ROMARIN

Préparation : 20 min • Repos : 30 min • Cuisson : 35 min
Pour 6 personnes

350 g de pâte feuilletée • 2 c. à s. de romarin frais haché • 80 g de sucre en poudre • 800 g d'abricots • 5 c. à s. de marmelade d'abricots

● Étalez la pâte feuilletée sur 4 mm d'épaisseur et garnissez-en un moule chemisé de papier sulfurisé.

● Piquez le fond, saupoudrez-le de 1 c. à s. de romarin haché mélangé à la moitié du sucre et réservez au réfrigérateur pendant 35 min.

● Ouvrez les abricots en deux et retirez le noyau. Coupez les oreillons en deux et rangez-les sur le fond de tarte en cercles concentriques. (Vous pouvez aussi laisser les oreillons entiers, rangés face bombée vers l'extérieur.)

● Saupoudrez du sucre restant. Faites cuire au four à 180 °C pendant 35 min. Faites fondre la marmelade d'abricots dans une petite casserole avec le reste de romarin.

● Badigeonnez la tarte de ce mélange à la sortie du four et laissez refroidir complètement avant de démouler et de servir.

Provence

Tatin aux poires

Remplacez les pommes par
des poires tenant bien
à la cuisson (louise bonne
ou passe-crassane).

Tatin feuilletée

Remplacez la pâte brisée par
la même proportion de pâte
feuilletée ou demi-feuilletée.
Diminuez la cuisson
de quelques minutes.

Tatin à la tomate

Faites cuire un fond de tarte
de 250 g de pâte brisée au four
à 180 °C pendant 20 min.
D'autre part, faites cuire
15 tomates vertes en rondelles
dans 200 g de sucre caramélisé
avec un peu d'eau au four
à 180 °C pendant 25 min, dans
un moule de même diamètre.
Posez le fond de tarte sur les
tomates et retournez le tout.

Minitatins aux abricots

Remplacez les pommes par des
oreillons d'abricots et
répartissez-les dans des moules
individuels caramélisés.
Recouvrez de pâte brisée
et faites cuire au four à 200 °C
pendant 15 min.

TARTE TATIN

Préparation : 20 min • Cuisson : 50 min • Pour 6 personnes

*1,2 kg de pommes à cuire (golden ou boskoop) • 120 g de beurre
• 200 g de sucre en poudre • 300 g de pâte brisée*

● Préchauffez le four à 220 °C.

● Faites chauffer les pommes pelées, évidées et coupées en quartiers
dans une grande sauteuse avec le beurre.

● Saupoudrez-les de sucre, mélangez et faites cuire pendant 20 min.

● Poursuivez la cuisson pendant 10 min sur feu plus vif pour les faire
caraméliser légèrement. Retirez du feu.

● Versez les pommes dans une tourtière de 26 cm de diamètre.
Abaissez la pâte en un disque un peu plus grand et posez-le à plat
sur les pommes. Faites rentrer les bords à l'intérieur de la tourtière.

● Faites cuire au four pendant 20 min. À la sortie du four, renversez
la tarte sur un plat de service chaud. Servez tiède.

TEURGOULE

Préparation : 10 min • Cuisson : 2 h • Pour 6 personnes

1,5 l de lait cru entier • 125 g de raisins secs • 150 g de riz à grains ronds • 125 g de sucre en poudre • sel fin

● Préchauffez le four à 150 °C.

● Faites bouillir le lait puis laissez-le refroidir. Faites gonfler les raisins secs dans de l'eau chaude.

● Versez le riz dans un plat en terre assez profond de 2,5 l, ajoutez le sucre et 1 pincée de sel.

● Mélangez, puis versez doucement le lait refroidi (avec la peau).

● Remuez à l'aide d'une cuillère en bois et placez le plat sur la tôle du four. Faites cuire pendant 2 h en surveillant. Servez chaud ou tiède.

Teurgoule aux épices

Supprimez les raisins secs et ajoutez 2 c. à s. de cannelle moulue en même temps que le sucre. Faites bouillir le lait avec une gousse de vanille fendue en deux (retirez-la avant de verser le lait sur le riz).

Pommes bonne femme

Évidez des pommes et faites-les cuire au four dans leur peau avec un morceau de beurre sucré dans chacune pendant 1 h 30. Servez avec de la teurgoule (ou terrinée).

Teurgoule au miel

Remplacez le sucre en poudre par un mélange de 3 c. à s. de sucre roux et 3 c. à s. de miel de bruyère. Servez tiède, en arrosant avec 1 filet de miel.

Salade de fruits rouges

Préparez une salade de fruits rouges (groseilles, mûres, cassis et myrtilles) et nappez-la de blancs d'œufs battus en neige ferme avec un peu de sucre en poudre. Servez en même temps que la teurgoule.

TOURON

Préparation : 25 min • Cuisson : 12 min • Repos : de 6 à 8 h
Pour 20 pièces

200 g de sucre en poudre • 160 g de poudre d'amandes • 50 g de miel
• 2 jaunes d'œufs • extrait de vanille liquide

● Faites chauffer le sucre dans une petite casserole avec 2 c. à s. d'eau jusqu'à 110 °C (stade de cuisson du « petit boulé »).

● Ajoutez la poudre d'amandes et mélangez. Faites cuire de 3 à 4 min. Hors du feu, ajoutez le miel puis les jaunes d'œufs.

● Mélangez et remettez à feu très doux. Faites cuire en remuant pendant 5 min.

● Versez la pâte sur un marbre huilé et couvrez de papier sulfurisé. Laissez reposer de 6 à 8 h.

● Partagez la pâte en deux et travaillez chaque portion avec quelques gouttes d'extrait de vanille liquide.

● Façonnez-les en boules, puis aplatissez-les et découpez-les en carrés ou en rectangles.

Touron multicolore

Partagez la pâte en 3 ou 4 portions, malaxez-les séparément avec quelques gouttes de colorant vert, jaune, rouge ou orange puis disposez les carrés de touron en pyramide.

Touron aux fruits secs

Ajoutez des petits morceaux de cerneaux de noix, d'amandes et de noisettes dans la pâte à touron avant de la façonner. Roulez la pâte en boudins et coupez ceux-ci en rondelles.

Tarte au touron

Faites cuire un fond de tarte à blanc ; garnissez-le d'une couche de crème pâtissière et disposez par-dessus des petits cubes de tourons de différentes couleurs.

Touron au cacao

Ajoutez 2 c. à c. de cacao non sucré dans la pâte du touron. Malaxez bien, découpez le touron en carrés ou en rondelles et servez-le à l'espagnole avec un chocolat chaud parfumé à la cannelle.

Tourteau aux noix

Incorporez 1 c. à s. de noix
réduites en poudre dans la pâte
brisée du tourteau et ajoutez
2 c. à s. de cerneaux de noix
grossièrement concassés
dans la garniture.

Tourteau à la fraise

Incorporez à la garniture
du tourteau, avec le fromage
blanc, 2 c. à s. de confiture
de fraises et 6 grosses fraises
équeutées taillées en lamelles.

Tourteau à la rhubarbe

Incorporez à la garniture
de fromage blanc 4 tiges de
rhubarbe pelées, tronçonnées
et fondues en compote avec
125 g de sucre en remuant
pendant 30 min.

Tourteau au café

Préparez le tourteau comme
dans la recette principale en
ajoutant à la pâte au dernier
moment 1 c. à c. d'extrait de
café et 1 c. à s. de sucre vanillé.
Décorez le dessus de grains
de café à la liqueur.

TOURTEAU FROMAGER

Préparation : 40 min • Repos : 1 h • Cuisson : 50 min • Pour 6 personnes

*250 g de farine • 150 g de beurre • 1 jaune d'œuf • 250 g de fromage
de chèvre frais • 150 g de sucre en poudre • 2 c. à s. de lait • 5 œufs
• 50 g de fécule de pommes de terre • sel fin*

● Préparez une pâte brisée avec la farine, 125 g de beurre, 1 pincée
de sel fin, le jaune d'œuf et juste assez d'eau froide pour amalgamer
la pâte en boule. Laissez-la reposer au frais pendant 1 h.

● Préchauffez le four à 180 °C.

● Battez le fromage frais avec 125 g de sucre, le lait, 5 jaunes d'œufs
et la fécule.

● Incorporez 5 blancs d'œufs battus en neige avec le sucre restant
à la préparation précédente.

● Beurrez un moule à fond arrondi et garnissez-le de pâte brisée.
Versez le mélange au fromage dedans et lissez le dessus à la spatule.

● Faites cuire au four pendant 50 min. Laissez refroidir
avant de démouler.

Poitou-Charentes

TABLE DES MATIÈRES

CRÉDITS PHOTOGRAPHIQUES

Dans la collection 1001 recettes

Apéritifs dînatoires / Bar à cocktails / Cuisine de bistrot / Cuisine de marques
Cuisine de New York / Cuisine des familles / Cuisine des grandes tablées
Cuisine des saisons / Cuisine du monde / Cuisine économique
Cuisine facile / Cuisine légère / Cuisine pour nos enfants
Desserts & gourmandises / Gâteaux & délices / La cuisine rapide
Les plats uniques / Plaisirs au chocolat / Plancha, brochettes, barbecue

Conçu et réalisé par Copyright pour les Éditions Solar
Rédaction : Sylvie Girard
Création graphique : Jean-Louis Massardier et Bertrand Loquet
Coordination éditoriale : Sophie Zeegers et Sophie Greloux
Mise en page : Andrea Lenaour
Photogravure : Peggy Huynh-Quan-Suu
Fabrication : Stéphanie Parlange et Cédric Delsart

Couverture
Création et réalisation graphique : Claire Guigal

© 2014, Éditions Solar
ISBN : 978-2-263-06482-1
Code éditeur : S06482
Dépôt légal : avril 2014
Achevé d'imprimer en janvier 2014
Imprimé en Chine

Solar | un département **place des éditeurs**